Adventskalender
Weihnachtsponys in Gefahr

Ann-Katrin Heger
Mit Illustrationen von Ina Biber

KOSMOS

Willkommen!

Auf einem Nachbarhof der Winklers ist eine Familie mit vielen niedlichen Islandpferden eingezogen. Und Tinka verliebt sich sofort Hals über Huf in den schönsten Hengst der Herde. Auch Kim, Franzi und Marie sind Feuer und Flamme, als sie bei einem isländischen Weihnachtsmärchen hoch zu Ross mitspielen dürfen.

Doch plötzlich wird eine große Geldsumme gestohlen, die für den Umbau des alten Pferdehofs gedacht war. Und dann verschwindet auch noch Tinkas neuer Pferdefreund. Selbstverständlich übernehmen die drei !!! den Fall.

Neben den Ermittlungen finden die drei Freundinnen noch genug Zeit für Ausritte im Schnee, gemütliche Runden mit Kakao und Keksen und Weihnachtslieder singen.

Um gemeinsam mit Kim, Franzi und Marie eine spannende Adventszeit zu verbringen, öffnest du jeden Tag zwei verschlossene Seiten. Am besten trennst du sie mit einem Brieföffner oder einem dünnen Lineal auf. Wie in jedem Adventskalender sind auch in diesem Buch viele tolle Überraschungen versteckt: Jeden Tag findest du auf den Extraseiten tolle Ideen zum Kochen, Backen oder Basteln.

Außerdem haben sich Bildfälschungen in das Buch gemogelt. Es gilt, deinen detektivischen Spürsinn unter Beweis zu stellen und die Bilderrätsel zu lösen. Jedes der zwölf bunten Doppelseitenbilder gibt es in diesem Buch genau zwei Mal. Ein Original und eine Fälschung. Findest du die drei Fehler, die sich in jede Fälschung eingeschlichen haben? Die Auflösung des Bilderrätsels findest du auf der letzten verschlossenen Seite.

<u>Und jetzt mach es dir gemütlich und viel Spaß dabei, wenn du mit den drei !!! die Islandpferde von Hestaheimur besuchst.</u>

1. Dezember

Alle Jahre wieder: O Tannenbaum!

Und jetzt kam auch noch die Sonne hinter einer Wolke hervor! Es war einfach zu schön, um wahr zu sein. Franzi blinzelte und Tinka blieb stehen und schnaubte.
Dabei blies sie den federleichten Schnee, der am Morgen gefallen war, von einem Ast.
Glitzernd tanzte er auf den Boden und blieb wie Puderzucker auf dem Waldweg liegen, auf dem Franzi und Tinka ritten.
Franzi beugte sich nach vorne und legte den Kopf an Tinkas Hals. Wie gut sie duftete.
»Das wird dieses Jahr ein ganz besonderes Weihnachtsfest«, flüsterte sie in das Ohr der Rappstute. Tinka wieherte leise und Franzi lachte: »Das findest du also auch?« Tinka scharrte mit dem Huf. »Was frage ich noch ... Natürlich weißt du es schon längst. Du bist schließlich das klügste und schönste und beste Pony auf der ganzen Welt! Und jetzt machen wir beide den klügsten und schönsten und besten Freundinnen auf der Welt eine Weihnachtsüberraschung.«
Franzi trieb Tinka leicht zum Schritt an und ritt quer in den Wald hinein. Vor einer großen Tanne, die ein wenig abseits der anderen stand, hielt sie an und glitt von Tinkas Rücken.
»Hier ist der Baum, den ich mir ausgesucht habe. Puschelig und ein bisschen schief. So wie wir! Puschelig im Herzen, aber weit davon entfernt, perfekt zu sein.« Franzi lächelte und nahm den prall gefüllten Rucksack vom Rücken, aus dem Strohsterne und rote Papierbänder quollen. »Ich muss mir wohl Satteltaschen zu Weihnachten wünschen. Der Rucksack ist riesig, aber das Picknick, das ich vorbereitet habe, auch!«
Sie nahm die Kiste mit den Vogelfuttersternen und hängte alle Sterne an die verschneiten Zweige des Baums.
Dabei summte sie *O Tannenbaum*.
Der Vogelfutterschmuck allein sah schon weihnachtlich aus, aber jetzt sollten noch die roten Papierschleifen dran. »Da oben müssen auf jeden Fall Farbtupfer hin!«, murmelte sie und streckte sich. Doch die Zweige waren zu hoch. Tinka stupste sie an und schnaubte. Franzi fass-

te sich an die Stirn und stöhnte: »Du hast ja so recht. Natürlich bist du auch noch da und zusammen kommen wir überallhin.« Sie kletterte erneut auf Tinkas Rücken und band eine rote Schleife an den obersten Trieb des Baumes. Zufrieden betrachtete sie ihr Werk. »Jetzt müssen Kim und Marie nur noch hierherfinden. Hoffentlich schaffen sie es, das letzte Rätsel zu lösen!«

In diesem Augenblick klingelte Franzis Handy. Es war Kim.

»Franzi?«, hörte sie Kims Stimme. »Marie und ich denken, dass die richtige Antwort *Wintervögel* ist. Stimmt das?«

Franzi machte eine Siegesfanfare nach. »Tatatata! Ihr habt recht. Amsel, Buchfink, Kernbeißer und Rotkehlchen haben genau diese Gemeinsamkeit. Sie ziehen im Winter nicht in den Süden, sondern bleiben hier.«

Im Hintergrund hörte Franzi Marie, die laut »Hurra!«, rief. »Wir sind gleich bei dir. Müssen nur noch die GPS-Daten der Lösung ins Handy eingeben«, informierte Kim.

Franzi freute sich. Natürlich war es außer Frage gestanden, dass ihre beiden Detektivfreundinnen ihre kleine Advents-Schnitzeljagd in Höchstgeschwindigkeit lösen würden. Schließlich waren die beiden die besten Detektivinnen, die sie kannte, und gemeinsam hatten sie bereits an die hundert Fälle gelöst.

Und gerade deshalb musste eine gelungene Adventsfeier für die beiden mit ein bisschen weihnachtlich-winterlichen Detektiv-Spannungs-Nervenkitzel bestückt sein.

Dass sie allerdings soooo schnell sein würden, hatte Franzi beim Erstellen der Aufgaben nicht gedacht. Na ja. Profis waren nun mal Profis …

Schnell zündete sie rings um die geschmückte Tanne ein paar Bienenwachskerzen in leeren Einmachgläsern an. Es war zwar vormittags und die Sonne schickte ihre Strahlen durch den Wald, trotzdem tanzten die Kerzenflammen lustig und machten die Weihnachtsstimmung komplett.

Tinka spitzte die Ohren und schnaubte leise. »Hast du sie schon gehört?«, fragte Franzi und strich der Rappstute über die weichen Nüstern. Tinka blickte in Richtung des Waldwegs.

»Marie? Kim?«, rief Franzi und blickte sich um.

Plötzlich tauchten die Köpfe von Kim und Marie hinter einem dicken Baumstumpf auf. »Drauß vom Walde kommen wir her«, brummte Marie.
»Ich muss euch sagen, es adventelt sehr«, ergänzte Kim und kicherte. Dann sprangen beide aus ihrem Versteck. Franzi staunte. Die beiden waren als schwedische Weihnachtswichtel verkleidet. In roter Kutte und mit einer Zipfelmütze auf dem Kopf. Marie hatte an einigen Stellen ein paar Pailletten und Glitzerborten angenäht. Franzi grinste. Die beiden sahen toll aus. Wie immer. Unter Maries Wichtelmütze wellten sich ihre langen blonden Haare und ihre Füße steckten in goldfarbenen Boots, auf die ein Elch gestickt war. Franzi wusste nicht, wie Marie es anstellte, aber ihr stand einfach alles. Und es sah völlig natürlich an ihr aus.
»Es muss ziemlich adventeln, wenn sich sogar Kim zu einer Wichtel-Kostümierung durchringt«, meinte Franzi.
Kim schob gespielt beleidigt ihre Unterlippe nach vorne. »Bei Weihnachts-Wichteln habe ich schon immer eine Ausnahme gemacht!«, meinte sie und holte eine Jutetüte aus ihrem Rucksack. »Und dich machen wir jetzt auch zum Wichtel!« Sie warf Franzi das Päckchen zu. Franzi fing es auf und zog sich die rote Kutte und die Zipfelmütze über die eigene auf.
»Perfekt«, bemerkte Marie. »Jetzt sind wir wieder ein Team. Danke übrigens für die coole Schnitzeljagd. Das hat Spaß gemacht!«
»Und uns Kopfzerbrechen bereitet«, meinte Kim. »Also das Schneeflockenpuzzle hat mich beinahe um den Verstand gebracht!«
»Dafür wart ihr aber superschnell. Also her mit den Flocken!« Franzi streckte die Hand aus.
Marie rollte ein großes Plakat aus. Darauf waren Papier-Schneeflocken zusammengeklebt. Alle sehr ähnlich und doch unterschiedlich.
»Wir haben eine Stunde verglichen und geklebt, um die richtigen Teile zusammenzufügen«, erklärte Kim.
Franzi nickte streng. »So sollte es auch sein. Und jetzt habt ihr euch eine Belohnung verdient.«
Sie nahm die dicke geblümte Thermosflasche aus dem Rucksack und goss eine dampfende, rote Flüssigkeit hinein. »Kinder-Glögg«, sagte sie. »Passt zu euren Kostümen. Das ist Punsch auf Schwedisch!«

Kim und Marie nahmen jeweils eine Tasse. Sie stießen an. »Auf Franzi und ihr Weihnachtsrätsel!«, sagte Kim. »Auf eine wunderschöne, friedliche und unkriminelle Adventszeit«, sagte Marie.
»Und natürlich auf uns!« Franzi hob die Tasse. »Die drei besten Freundinnen auf der ganzen Welt!«
»Lecker«, meinte Kim.
»Genau das, was man bei dieser Kälte braucht«, sagte Marie.
»Ihr habt sicher gedacht, die Aufgaben wären jetzt erledigt und ihr würdet den Baum mit meinen Vogelfutterherzen schmücken und dann die Zimtschnecken und belegten Brote essen. Weit gefehlt.« Franzi zwinkerte Tinka zu, die sofort angelaufen kam. In einer Schlaufe am Sattel war ein Papier befestigt. »Hier wartet die letzte und allerallerschwerste Aufgabe auf euch!«
Marie zog den Zettel heraus und faltete ihn auf. »Da ist ja nur ein Lied drauf. *Alle Jahre wieder*«, sagte sie.
Franzi nickte. »Du kennst doch die Melodie von *O Tannenbaum*«, meinte sie. »Leg mal los!«
Marie stutzte und summte dann die Melodie von *O Tannenbaum*. »Verstehe ich nicht«, murmelte sie.
»Unser Gehirn wird sich nun total verwursteln und überschlagen, denn jetzt werden wir den Text von *Alle Jahre wieder* auf die Melodie von *O Tannenbaum* singen. Und zwar im Chor.«
Kim machte große Augen und trat einen Schritt zurück. »Ohne mich«, sagte sie.
»Mit dir!«, lachte Franzi bestimmt. »Schließlich sind wir mutige Weihnachtswichtel – und noch wichtiger: Wir sind völlig allein hier im Wald und nur Tinka hört uns. Also los!«
Kim verdrehte die Augen. »Na schön. Selbst schuld, wenn der Kinder-Glögg in der Thermoskanne schlecht wird.« Sie stellten sich im Halbkreis auf und begannen: »A lle Jah re wie der, a lle Jah re wie der …«
Es klang schrecklich in den Winterwald hinein.

Franzis Lieder-Quatsch

Weihnachtslieder singen? Eine deiner leichtesten Übungen? Dann probiere doch mal den Text eines bekannten Weihnachtsliedes auf die Melodie eines anderen zu singen!

So wird's gemacht:
Hör dir die Melodie von <u>O Tannenbaum</u> an, vielleicht kann sie auch jemand aus deiner Familie oder du selbst auf einem Instrument spielen? Dazu singst du dann den Text von <u>Ihr Kinderlein kommet</u>.

Ihr Kinderlein kommet, o kommet doch all'!
Zur Krippe her kommet in Bethlehems Stall.
Und seht, was in dieser hochheiligen Nacht
Der Vater im Himmel für Freude uns macht.
O seht in der Krippe im nächtlichen Stall
Seht hier bei des Lichtleins hellglänzendem Strahl
In reinlichen Windeln das himmlische Kind,
Viel schöner und holder, als Englein es sind.

Na, ganz schön kompliziert, oder?

2. Dezember

Tinka, die Pferde-Spürnase

Kim kicherte als Erste und konnte nicht weitersingen. Dann gab Marie auf und den letzten Ton vor dem allgemeinen Kicheranfall sang Franzi.
»Das ist total schwer!«, japste Marie nach einer Weile. »Mein Gehirn verknotet sich, wenn ich noch eine Strophe weitersingen muss!«
»Schade«, sagte Franzi. »Ich hätte noch *Vom Himmel hoch* auf *Schneeflöcken, Weißröckchen* und *Oh du fröhliche* auf *Morgen, Kinder, wird's was geben* im Angebot.«
»Sag mir lieber, was du essenstechnisch im Angebot hast«, meinte Kim und klopfte sich auf den Bauch. »So viel Rätselraten macht hungrig.«
»Süß oder salzig zuerst?«, fragte Franzi und holte die Essensboxen aus dem Rucksack.
»Wie immer. Beides auf einmal!« Kim schnappte sich eine Blätterteigrolle mit Käse und Gurken und eine Zimtschnecke. Dann biss sie abwechselnd ab und schloss genießerisch die Augen. »Hab schon immer gewuscht, dasch Käse und Gebäck hervorragend schuschammen schmecken«, nuschelte sie mit vollem Mund. »Probiert dasch mal!«
Franzi winkte dankend ab und Marie rümpfte die Nase. »Nee, das ist mir zu wild. Aber das Rezept für die Zimtschnecken musst du mir unbedingt geben. Die sind ja unglaublich. Luftig und gleichzeitig saftig. Mmmmm!«
»Neues Rezept von der schwedischen Freundin meiner Mutter«, meinte Franzi. »Ich muss mal sehen, ob ich es ihr abluchsen kann.«
Franzi stolperte nach vorne und konnte sich gerade noch an Marie festhalten, sonst wäre sie vornüber im Schnee gelandet. »He! Was soll das?«
Sie blickte sich nach hinten um und sah in die sanften schwarzen Augen von Tinka. »Warum stupst du mich beinahe um?«, fragte sie ärgerlich. Doch Tinka sah sie unschuldig an, schnaubte und warf den Kopf nach links.
»Oh, du«, sagte Franzi und umarmte Tinka. »Du bist so niedlich, dass man dir sowieso nicht böse sein kann.«

Tinka wieherte und warf erneut den Kopf nach links. Dann scharrte sie mit dem Vorderhuf.
»Sie will dir was sagen«, meinte Marie. »Ganz eindeutig.«
Franzi blickte sich um. »Aber was? Der Baum steht noch da, der Proviant ist fast weggefuttert, die Kerzen brennen schön, der Schmuck hängt noch an seinem Platz und die Vogelfutterherzen sind nicht gemopst. Sogar der schreckliche Gesang ist verstummt.« Kim grinste.
»Irgendwas links. Ist doch klar!« Marie zuckte mit den Schultern. »Sie sagt es dir, so gut sie kann. Du kennst dich hier doch aus. Was kommt, wenn man in diese Richtung weitergeht?«
Franzi überlegte. »Da liegt nur der alte verlassene Bauernhof der Rettlers. Der ist schon seit fünf Jahren nicht mehr bewirtschaftet.«
»Ist das weit von hier?«, fragte Marie.
»Nee, ich würde sagen, wir sind genau in der Mitte zwischen dem Winklerhof und dem Rettlerhof. So einen Kilometer, schätze ich.«
»Also wenn Tinka da hinwill, sollten wir sie begleiten, finde ich!«, meinte Kim.
»Aber der Hof ist verlassen. Da ist nichts mehr. Außer ein paar Gespenster der Vergangenheit«, wandte Franzi ein. Ihr war der Gedanke ein wenig unheimlich, zu dem einsamen Hof zu gehen.
Doch Kim lächelte. »Und in mir ist so eine festliche Adventsstimmung, da kann mir kein Gespenst *irgendwas* tun. Wirst sehen, die tanzen nachher alle um unseren festlichen Baum.«
Franzi sah Marie an. Los, bitte sag etwas, dachte sie und hoffte, Marie würde ihre Blicke richtig deuten. Doch Marie schloss sich Kim an.
»Klar, lass uns mal nachsehen, was Tinka so aufregt. Wir sind alle gestärkt. Durch das Essen und durch das beschaulich-grausige Weihnachtsliedersingen.«
»Also, Tinka, du Spürnase«, fragte Kim. »Was willst du uns zeigen?«
Als hätte die Stute jedes Wort verstanden, setzte sie sich in Richtung des Rettlerhofes in Bewegung.
Die drei !!! konnten gerade noch die Reste der Zimtschnecken und der Brote zusammenpacken und stapften ihr nach.
Franzi, Kim und Marie trugen die Einmachgläser mit den Kerzen, sodass sie wie kleine Glühwürmchen hintereinander durch den verschneiten Winterwald gingen.

Eine ganze Weile sagten sie nichts und genossen die Geräusche, die ihre Schuhe im Schnee machten. Franzi beobachtete die weiße Wolke, die sich bei jedem Ausatmen vor ihrem Gesicht bildete.

Als sie aus dem Wald heraustraten, blieb Franzi erstaunt stehen. Von hier aus konnte man den Rettlerhof sehen. Doch das Bild, das sich ihr bot, war völlig anders als erwartet.

Die Fenster des alten Bauernhauses waren weiß gestrichen, an jeder Scheibe hing ein großer Stern aus Papier und aus dem Schornstein stieg weißer Rauch. Das sah alles andere als verlassen aus. Sondern richtig gemütlich.

Tinka schnaubte. Franzi ließ ihren Blick auf die daneben liegende Koppel schweifen. Ihr Herz machte einen kleinen Sprung. Etwa zwanzig Islandpferde standen im Schnee. Einige sahen neugierig zu ihnen herüber, andere spielten miteinander und jagten sich.

»Hast du gespürt, dass hier wieder Pferde eingezogen sind?«, flüsterte sie Tinka ins Ohr.

»Klar hat sie das«, sagte Kim nüchtern. »Tinka ist eines der schlausten Tiere, die ich kenne. Wundert mich gar nicht!«

»Kim mausert sich zu unserer neuen Pferdeflüsterin«, witzelte Marie. »Ich staune, ich staune.«

»Warum sollte es bei Pferden anders sein als bei uns?«, verteidigte sich Kim. »Wir haben doch auch einen untrüglichen Instinkt, wenn es um Verbrechen geht. Da macht uns niemand etwas vor. Und das lässt sich genauso wenig erklären. Ist einfach so.«

Franzi lachte. »Hast ja recht. Und jetzt lasst uns mal zu unseren neuen Nachbarn gehen.«

Das ließ Tinka sich nicht zweimal sagen. Sie sah Franzi kurz an, die nickte und dann trabte Tinka los. Direkt auf die Koppel zu, wo ein schwarzes Islandpferd über den Zaun sah und sie begrüßte. »Oh, ist das süß«, entfuhr es Marie, als sie sah, dass Tinka und das schwarze Pferd sich beschnupperten und die Köpfe aneinanderrieben. »Als würden sie sich schon kennen!«

»Mm, scheint Liebe auf den ersten Blick zu sein«, meinte Franzi. »Die sind aber auch rührend. Und das Gute an Islandpferden ist, dass sie den ganzen Winter draußen sein können. Sie sind die kalten Temperaturen gewohnt. Die Winter hier sind nichts gegen die Winter in Island.«

Sie gingen Tinka nach zur Koppel.

Sofort standen fünf weitere Pferde am Zaun und beschnupperten Kim, Franzi und Marie ausführlich.

»Da hast du so tolle neue Nachbarn und du ahnst überhaupt nichts davon«, sagte Marie kopfschüttelnd. »Wer weiß, was du sonst noch verpasst hast, was sich hier in der Nähe getan hat? Ein Eiscafé mitten im Wald? Ein Baumwipfelhotel in deinem Zimmer? Eine Eislaufbahn in unserem Hauptquartier?«

»Haha.« Franzi knuffte Marie in die Seite.

»War nur Spaß. Du bist Detektivin. Natürlich bemerkst du Veränderungen in deinem Umfeld.« Marie legte Franzi den Arm um die Schulter.

»Sehr richtig.« Sie deutete auf Tinka, die nun dazu übergegangen war, ein braunes Pferd zu beschnuppern. »Gerade bemerke ich, dass Tinka sich mit allen Islandpferden hier befreunden möchte. Nicht wahr, meine Schöne?«

»Der Hof wird gerade renoviert«, stellte Kim fest. »Auf dem Vorplatz stehen Unmengen von Baumaterialien. Ziegel, Kies und Zementsäcke.«

»Ob die vorhaben, hier einen Reiterhof aufzubauen?«, wunderte sich Marie. »Lasst uns doch mal näher zum Haus gehen.«

In diesem Augenblick sahen alle Pferde wie auf Kommando in eine Richtung.

»Was wollt ihr hier?«, fragte jemand unfreundlich.

Leckerer Baumschmuck für Vögel

Du willst eine Weihnachtsparty im Wald machen und den Baum dafür schmücken? Selbstgemachter Vogelfutterbaumschmuck sieht festlich aus und freut die Vögel die im Winter hier sind.

Du brauchst:
- 300 g Kokosfett oder Butterschmalz
- 300 g Kern-Nuss-Mischung (Sonnenblumenkerne, Hanfsaat, gehackte Nüsse)
- 2 EL Speiseöl
- Ausstechförmchen
- einen Topf
- eine Schüssel aus Metall
- Packschnurstücke (ca. 10 cm lang)

So wird's gemacht:
Wasser im Topf erhitzen. Eine Schüssel draufstellen und das feste Kokosöl hineingeben. Weich werden lassen. Nicht kochen!
Rühre erst das Speiseöl und dann die Kern-Nuss-Mischung unter.
Lege die Ausstechförmchen auf ein Backblech und fülle die Mischung etwa fünf Millimeter hoch ein.
Bilde aus den Schnurstücken eine Schlaufe und drücke die Enden in die weiche Masse.
Das sind die Aufhänger.
Kalt werden lassen und FERTIG!

<u>Franzis Tipp:</u> Nicht alle Vögel mögen harte Körner. Stattdessen kannst du auch Haferflocken, Kleie, Mohn und Obst in das Fett einarbeiten!

3. Dezember

Hestaheimur

Franzi zuckte zusammen. Neben der Koppel war wie aus dem Nichts ein Mädchen aufgetaucht und funkelte sie misstrauisch an. Hatten sie sie nicht gehört, weil sie auf leisen Rollstuhlrädern herangerollt war? Franzis Freund, Blake, war auch Rollstuhlfahrer und er konnte unglaublich leise heranschleichen.

»Tinka, meine Stute ... äh ... wir waren im Wald. Und Tinka muss die anderen Pferde gerochen haben«, stotterte Franzi eine Erklärung.

Auf dem Gesicht des Mädchens breitete sich ein Grinsen aus. »Reingefallen«, sagte sie schmunzelnd. »Ich habe euch und eure Stute beobachtet. Voll süß, wie sich die Pferde freuen. Ich bin übrigens Jorid. Und ihr? Wichtel, die mir Geschenke bringen?« Sie strahlte die drei !!! weiter an.

Franzi konnte nicht anders. Sie erwiderte das Strahlen. »Das sind Kim und Marie und ich heiße Franzi. Wir haben ein bisschen Advent gefeiert. Im Wald. Und uns verkleidet«, erklärte sie. »Ich wohne auf dem Winklerhof, nicht weit von hier. Wir haben auch ein paar Tiere, aber nur ein Pferd, Tinka.« Sie deutete auf die Rappstute. »Ihr seid noch nicht so lange hier?«

Jorid schüttelte den Kopf. »Ein halbes Jahr ungefähr. Wir sind mit den Pferden aus Island gekommen. Meine Mutter ist Deutsche und kannte jemand, der die Rettlers kannte, ihr wisst ja, wie das manchmal so geht. Und dann haben meine Eltern beschlossen, den Hof zu renovieren und hier in Deutschland zu leben. Und ich habe entschieden, mitzugehen. Tolle Kostüme übrigens!«

Island? Nun war Franzi klar, warum Jorid so einen süßen nordischen Akzent hatte.

Jorid sah Franzi an. »Winklerhof, Winklerhof, das sagt mir was. Habt ihr nicht eine Tierarztpraxis, die auch Kaffee und Kuchen verkauft?«

Franzi kicherte. »Fast. Mein Papa ist Tierarzt und hat seine Praxis auf dem Hof und meine Mama betreibt ein Café, in dem man wirklich sehr, sehr leckere Kuchen essen kann.«

»Sehr, sehr lecker«, bestätigte Kim und schleckte sich über die Lippen. »Haben wir nicht noch eine Zimtschnecke? Dann könnte sich Jorid selbst überzeugen.«

»Massenhaft«, meinte Franzi. »Kannst gerne eine haben.«

»Ich habe eine bessere Idee. Kommt doch mit ins Hestaheimur-Haus. Ist zwar noch nicht alles schick, aber gemütlich ist es auf jeden Fall. Und dann stelle ich euch meine Eltern und Erla vor. Und wenn es noch genug Zimtschnecken gibt – die sagen sicher auch nicht Nein.«

Die drei !!! nickten begeistert. »Na klar, das ist toll. Wir kommen gerne mit«, sagte Marie.

Jorid öffnete das hölzerne Gatter und ließ Tinka auf die Koppel. »Die kommen schon klar. Das habe ich sofort gesehen!«

Die vier machten sich auf den Weg zum Haus.

»Was heißt Hestaheimur?«, fragte Marie.

Jorid hielt kurz inne. »Das heißt *Pferdewelt*. Denn auch bei uns im Haus dreht sich alles um Pferde. Mein Vater züchtet Islandpferde und er überlegt, auch in Zukunft Reitunterricht zu geben.«

»Reitest du auch?«, fragte Franzi.

»Klar, der Rollstuhl hindert mich nicht daran«, meinte Jorid.

»Das kann ich mir vorstellen«, meinte Franzi. »Mein Freund ist ebenfalls Rolli-Fahrer und der wurde davon auch noch nie an irgendwas gehindert. Im Gegenteil.« Sie zwinkerte Jorid zu. »Seine Querschnittslähmung kam übrigens von einem Reitunfall. War es bei dir auch so?«

Jorid schüttelte den Kopf. »Nee, ich konnte nie laufen. Ist bei mir schon von Geburt an so.«

Kim nickte. »Tut mir leid.«

Jorid winkte ab. »Ist okay, wirklich.« Mit viel Schwung rollte sie auf den Eingang des Bauernhauses zu. Die drei !!! hatten alle Mühe, ihr hinterherzukommen.

Die Eingangstür aus hellem Holz war bereits renoviert. Sie war in vier Kassetten unterteilt und in die oberen zwei waren ein weißes und ein schwarzes Islandpferd gemalt, die sich ansahen und ihre Vorderhufe tänzelnd in die Luft warfen.

Als Jorid die Tür öffnete, strömte eine wohlige Wärme aus dem Hausinneren. Bereits der Flur war einladend und hell. Jorids Eltern hatten die

uralten, unregelmäßigen Holzbalken weiß gestrichen und eine LED-Kette mit vielen Glaskugeln sorgte für genügend Licht. Neben der Tür standen Holzclogs in verschiedenen Größen bereit.

»Sucht euch passende aus«, bat Jorid. Franzi war froh, die dicken Stiefel ausziehen zu können. Die Thermo-Sohlen, die sie vorsorglich hineingepackt hatte, hatten zwar gut gewärmt, trotzdem war die Kälte in die Füße gekrochen.

Sie wählte rote Hausschuhe mit weißen Punkten aus und wunderte sich schon beim Hineinschlüpfen, wie bequem die Clogs waren.

»Jorid, bist du das?«, fragte eine helle Stimme.

»Ja, Mama. Und ich habe Gäste mitgebracht«, rief Jorid in die Küche hinein.

»Und die Gäste haben Zimtschnecken mitgebracht«, ergänzte Franzi. Die Tür ging auf und eine große dunkelhaarige Frau trat in die Türschwelle. »Jetzt bin ich aber neugierig auf die Zimtschneckenbringerinnen«, sagte sie. »Herzlich willkommen in Hestaheimur. Ich bin Sanna. Und ihr?«

»Kim, Franzi und Marie«, stellte Jorid sie vor. »Ihr Pferd, Tinka, haben wir aber draußen gelassen.«

Sanna lachte. »Sehr gut. So ein Pferd futtert für meinen Geschmack auch zu viele Zimtschnecken auf einmal. Kommt rein, ich setze schon mal das Teewasser für den Vulkantee auf.«

Die drei !!! sahen einander an. »Vulkantee?«

Jorid zuckte lächelnd mit den Schultern. »Werbewirksam, oder? Island ist das Land aus Feuer und Eis, das bedeutet, es gibt noch aktive Vulkane. Und die Oberfläche ist teilweise von Gletschern bedeckt, weil Island an den nördlichen Polarkreis grenzt. Der Tee allerdings ist ganz normaler Kräutertee, in dem ein bisschen Isländisch Moos und Beeren enthalten sind.« »He, musst du gleich alle isländischen Mysterien aufdecken?« Sanna lachte und bot den Mädchen einen Platz auf der gemütlichen Küchen-Eckbank an.

»Die wirklichen Mysterien von Island können nicht so leicht aufgedeckt werden«, sagte eine blonde, zierliche Frau, die sich an einer großen tönernen Tasse die Hände wärmte.

»Sie meint damit den Mythos des Verborgenen Volkes. Der Elfen«, erklärte Jorid.

»Erla war in Island als Beraterin für die Regierung zuständig. In Sachen Elfen.«

»Viele Isländer glauben an die Existenz von Elfen«, erklärte Erla. »So gibt es einige Straßenverläufe, die geändert wurden, weil dort Elfen wohnen.«

Franzi bemerkte, dass Marie Erla mit großen Augen ansah. Das war genau nach ihrem Geschmack. Ihre Freundin glaubte an Engel, Geister und an die Kraft der Sternzeichen. Ganz anders als sie und Kim.

Sie sah sich um. Die Küche im Winklerhof war urgemütlich. Aber das hier übertraf alles, was sie an Gemütlichkeit jemals gedacht oder gefühlt hatte.

Auf allen Bänken und Stühlen lagen dicke Decken und in der Ecke bollerte ein Kachelofen. Über dem Ofen waren Holzstangen angebracht, an denen Küchentücher und Socken zum Trocknen und Wärmen hingen. Von der Decke baumelten beleuchtete Sterne aus Papier, die den Eindruck eines ganz besonderen Sternenhimmels machten. Und überall, wirklich überall lugte ein Weihnachtswichtel hervor.

»Seid ihr Darstellerinnen für das Weihnachtsstück?« Ein Mann um die fünfzig kam in die Küche, sah die drei !!! verwundert aus den grünsten Augen, die Franzi je gesehen hatte, an und schenkte sich eine Tasse Tee ein.

»Das ist Einar, mein Mann und Jorids Papa«, erklärte Sanna.

»Und wir sind Kim, Franzi und Marie«, erklärte Franzi. »Und nein, wir sind keine Darstellerinnen. Sondern einfach nur so hereingeschneit.«

Einar lachte dunkel und heiser auf. »Bei diesem Wetter im wahrsten Sinne des Wortes.«

Er schlürfte einen Schluck Tee aus der Tasse und Franzi bemerkte irritiert, dass er Erla einen grimmigen Blick zuwarf. Doch schon im nächsten Augenblick wurden seine Züge wieder weich und er lachte seine Tochter an. »Dein Stück ist richtig gut. Bestimmt werden wir großen Erfolg haben.«

In diesem Augenblick klingelte Erlas Telefon. Sie nahm an und ihre Miene wurde zunehmend bedrückt. Sie ließ das Telefon sinken und sah in die Runde.

»Wir haben ein ernstes Problem«, sagte sie.

Die weltbesten Zimtschnecken

Du brauchst:

Für den Teig:
- 1 kg Weizenmehl Type 550
- 500 ml Milch zimmerwarm
- 150 g Butter zimmerwarm
- 120 g Zucker
- 2 Packungen Trockenhefe
- 1 Ei
- 1 TL Zimt gemahlen
- ½ TL Kardamom gemahlen
- ½ TL Salz

Für die Füllung:
- 125 g Butter zimmerwarm
- 100 g braunen Zucker
- 2 EL Zimt gemahlen
- 1 TL Kardamom gemahlen

So wird's gemacht:

Mische das Mehl mit den restlichen Zutaten für den Teig (bis auf die Butter und ca. 50 ml Milch) in einer großen Schüssel. Knete den Teig, bis er nicht mehr klebrig ist. Falls er zu trocken ist, gib die restliche Milch dazu. Dann knetest du die Butter ein.

Lass den Teig an einem warmen Ort (ca. 25 Grad) mit einem Tuch bedeckt gehen. Nach eineinhalb Stunden sollte er sich verdoppelt haben. Für die Füllung mischst du die Zutaten in einer Schüssel zusammen. Rolle den Teig mit einem Nudelholz aus. Verteile die Füllung auf dem Teig und rolle ihn anschließend von der langen Kante her auf. Dann schneidest du mit einem Messer Stücke von der Teigrolle ab und legst sie auf ein Backblech. Lasse sie nochmals eine Zeit lang aufgehen. Anschließend backst du die Schnecken 10-12 Minuten bei 225 Grad (Ober- und Unterhitze), bis sie leicht braun werden.

4. Dezember

Die drei Weihnachtselfen

Jorid sah Erla erschrocken an. »Ist was mit den Pferden?«

Erla schüttelte den Kopf. »Das nicht, aber Meike war dran. Sie und Anja haben eine Lungenentzündung und fallen für die gesamte Probenzeit aus.«

»Aber die beiden sind doch wichtige Elfen, oder? Was bedeutet das jetzt?« Sanna ließ sich auf die Bank sinken.

»Ich habe keine Ahnung. Wir müssen so schnell wie möglich Tara informieren«, meinte Jorid.

»Ich übernehme das für dich«, bot Erla Jorid an. »In einer halben Stunde müssten eh die meisten eingetroffen sein.«

Jorid nickte dankbar. Ihre Wangen waren mittlerweile von hektischen roten Flecken übersät und sie rollte nervös mit dem Rollstuhl vor und zurück. Dann hob sie unvermittelt den Kopf: »Ihr könnt doch reiten, oder?«

Kim winkte sofort erschrocken ab. »Also *ich* nicht!«

Franzi sah Jorid verwirrt an. »Marie und ich können schon reiten, aber ich verstehe immer nur Elfen und Proben und Stück und Island und Tee und Problem. Ich krieg es nicht so richtig zusammen.«

»Ja, wie auch. Entschuldige«, meinte Jorid, schnappte sich eine Zimtschnecke aus Franzis Box und biss hinein. »Unsere Haupteinnahmequelle ist die Islandpferdezucht, das habe ich ja schon erzählt. Papa ist ein erfolgreicher Züchter und hat sich weit über Island hinaus einen sehr guten Namen gemacht.«

»Danke für die Moosbeeren«, meinte Einar. »Lieb von dir.«

»Lorbeeren, Papa, Lorbeeren!« Jorid grinste. »Na ja, in Island sind die Moosbeeren nun mal weit verbreitet. Vielleicht lässt du den Spruch lieber so. Aber nun zu den verwirrenden Einzelheiten. Ich will mal versuchen, die zu ordnen: Auf Island hatten wir eine Tradition, die ich gern hier in Deutschland weiterführen möchte. Wir haben jedes Jahr in der Adventszeit mit unseren Pferden ein Theaterstück eingeübt und vorgeführt.«

»Wow, das ist ja toll!«, rief Marie. »Eine Pferdeshow!«

»Nicht so, wie ihr es vielleicht kennt, mit viel Technik und dergleichen«, räumte Jorid ein. »Es ist schon anders. Einfacher. Kleiner. Ich schreibe die Märchenstücke und eine Pferdetrainerin und eine Regisseurin haben sie dann umgesetzt. So hatten wir immer viel Spaß, die Pferde und wir. Wir hatten Zusatzeinnahmen und gleichzeitig Werbung für unsere Zucht.«

Maries Augen leuchteten. »Das klingt großartig. Das wird bestimmt voll der Renner.«

»Allerdings haben wir eben erfahren, dass zwei wichtige Darstellerinnen ausfallen. Ohne Ersatz können wir das Stück nicht auf die Beine stellen«, fuhr Jorid fort. »Ich kann wegen meiner Lähmung nicht als Reit-Elfe einspringen, aber vielleicht habt ihr ja Lust und Zeit, die zwei Elfen-Rollen zu übernehmen? Und eigentlich gibt es auch noch eine Rolle, die bislang noch unbesetzt war. Und für die muss man gar nicht reiten können. Ihr kommt also wie gerufen!«

Franzi sah Marie und Kim an. Und sie wusste sofort, dass ihre beiden Freundinnen Feuer und Flamme waren. Es war Vorweihnachtszeit. Und sie hatten gerade keinen Fall, an dem sie arbeiteten. Im Moment konnte sie sich einfach nichts Schöneres vorstellen, als häufiger hier in Hestaheimur zu sein.

»Lust haben wir auf jeden Fall«, antwortete sie also für alle. »Und Zeit auch. Ich sehe mich zwar nicht gerade als reitende Elfe, aber bitteschön. Das muss die Regisseurin und die Autorin entscheiden. Marie wird das in jedem Fall besser hinbekommen.«

»Da kann ich dich beruhigen«, meinte Jorid, der die Erleichterung ins Gesicht geschrieben stand. In meinem Stück sind die Elfen alles andere als zart und lieblich. Die haben es faustdick hinter den Ohren und sind klug und mutig.«

»Das klingt gut.« Franzi grinste.

»Habt ihr jetzt noch Zeit? Die nächste Probe beginnt in einer Viertelstunde. Dann könntet ihr gleich mal ausprobieren, ob es das Richtige für euch ist, einverstanden?«

Aufgeregt hatte Franzi den Text des Theaterstücks entgegengenommen. Natürlich hatten sie bleiben wollen!

Die drei !!! hatten noch schnell zu Hause Bescheid gegeben, nicht dass jemand sich Sorgen machte.

Jorid und Erla waren bereits im Stall und begrüßten die anderen Schauspieler.

Kim, Franzi und Marie saßen auf der Eckbank, während Einar und Sanna das Mittagessen zubereiteten.

»Ich lese mal die Zusammenfassung vor, ja?«, meinte Kim.

»Stopp«, fiel Marie ihr ins Wort. »Erst schließen wir die Augen und stellen uns die raue isländische Natur vor. Überall kaltes Gestein. Überzogen von Moos und Flechten. Im Hintergrund rauschen Wasserfälle die Felsen hinab und ab und zu schießt heißes Wasser aus einem der Geysire hoch in die Luft. Im Hintergrund bricht gerade ein Vulkan aus und heiße Lavaströme fließen wie langsame Flüsse ins Tal herab, die Gletscher knacken und die Eisbären brüllen und –«

» ... jetzt muss ich dich stoppen«, lachte Einar. »Der Anfang war ganz gut, aber spuckende Vulkane gibt es nur selten und einem Eisbären wirst du eher nicht begegnen.«

»Na gut, na gut«, gab Marie klein bei. »Aber den Rest behalten wir mal im Kopf, wenn wir jetzt die Geschichte hören.«

Kim seufzte. »Und im Herzen, jawohl. Kann es jetzt losgehen?« Sie blickte in die Runde.

»*In diesem Jahr ist es schon früh sehr kalt geworden. So kalt, dass die Elfenprinzessin Sorge hat, dass die Geschenke, die sie jedes Jahr an die Kinder austeilt, zu Eis gefrieren könnten.*«

»Dann bringt in Island die Elfenprinzessin die Geschenke?«, unterbrach Marie.

»Nein, das hat Jorid sich ausgedacht«, erklärte Einar. »Eigentlich bringen die dreizehn Weihnachtsgesellen, kleine Trolle, die Geschenke.«

»Dann wissen wir das jetzt auch!«, schmunzelte Kim amüsiert. »Also, es geht weiter: *Das Wetter wird immer schlimmer, das Eis breitet sich aus und schließlich ist sogar die Elfenprinzessin auf ihrem Thron festgefroren. Plötzlich tauchen die bösen Trolle auf und jubeln. Das wird ein Weihnachtsfest nach ihrem Geschmack. Alles ist tot und kalt und zugefroren. Perfektes Troll-Wohlfühlwetter. Die Menschen waren dieses Jahr so böse und hartherzig zueinander gewesen. Und jedes böse Wort, jede gemeine Tat, jeder lieblose Gedanke lässt den Schnee mehr, die Winde rauer und die Felsen kantiger werden. Und die Liebe scheint verloren gegangen zu sein.*

Inga, Jonna und Lilja überreden die anderen Elfen, Weihnachten zu retten. Und sie haben auch schon einen Plan. Irgendwo muss es sie noch geben, die Liebe. Vielleicht stimmt der uralte Aberglaube, dass immer, wenn einem Pferd eine gute Tat ins Ohr geflüstert wird, das Eis schmilzt?« Kim ließ den Zettel sinken und blickte Franzi und Marie versonnen an. »Die Handlung gefällt mir«, meinte Marie. »Gut, dass keiner der Trolle krank geworden ist. Ich will ganz unbedingt Weihnachten retten. Als Elfe!«

»Klar wie Kinder-Glögg«, lachte Kim. »Marie kann auf keinen Fall wie ein Troll aussehen. Sonst kriegt sie Laune wie ein Troll!«

Einar, der immer noch am Herd stand, kicherte. »So, wie ihr einander ärgert, *müsst* ihr beste Freundinnen sein. Geht gar nicht anders.«

Die Küchentür ging auf und eine junge Frau mit langen braunen Haaren und einer lustigen Stupsnase betrat die Küche. Sie hatte eine Tunika an, die mit Goldfäden durchwirkt war, und geschnürte Hosen aus dickem Stoff. Ihr Füße steckten in Fellstiefeln.

»Hallo, Tara«, begrüßte Einar sie. »Hat die Probe schon begonnen?« Tara nickte und sah dann Kim, Franzi und Marie an. »Seid ihr der Ersatz für die kranken Reiterinnen? Kommt schnell mit nach draußen. Das müsst ihr euch unbedingt ansehen.«

Kleine Trollereien

Auf Island gibt es dreizehn Weihnachtstrolle, die aber überhaupt nicht so lieb sind, wie man das von Weihnachtstrollen denken könnte. Nein, Trolle sind einfach keine netten Gesellen!

So stellen sie ab dem 13. Dezember so einiges an. Da gibt es unter anderem den Löffelschlecker, den Topfauskratzer, den Fensterglotzer und den Wurstklauer.

Falls der Plätzchenteller also mal zu verführerisch war und du mehr Plätzchen gegessen hast, als du solltest, kannst du es ja auf einen der Trolle schieben.

Oder die Salami war zu lecker? Na klar, der Wurstklauer war da! Die Milch ist weg? Da war doch sicher der Milchschaumlecker am Werk. Heutzutage sind die isländischen Weihnachtstrolle aber nicht nur frech, sondern bringen auch die Geschenke und sehen nicht mehr so furcht- erregend trollig aus. Manchmal haben sie sogar rote Mäntel an.

<u>Franzis Tipp</u>: Die Trolle sind die beste Ausrede, wenn du mal vergessen hast, den Teller abzuräumen, oder eine Socke unauffindbar ist. Wer ist schuld? Du? Neeeeiiiiin! Die Trolle!

5. Dezember

Tölt und eine böse Überraschung

Franzi schlug die Hände vor den Mund. Das Bild, das sich ihr bot, war einfach *unglaublich* niedlich.

»Sieh dir deine tolle Stute an«, rief Jorid. »Sie hat in einer Stunde gelernt, wofür unsere Pferde Wochen brauchen. Allerdings ist unser Hengst Blossi auch ein guter Pferdelehrer. Bei den beiden stimmt einfach die Chemie.«

Um die mit Lichterketten erleuchtete Koppel hatten sich um die zehn Elfen und genauso viele Trolle versammelt. Gebannt starrten sie auf das, was passierte.

Blossi ritt einen perfekten Kreis, eine Volte, und Tinka folgte ihm. Dann stellten sie sich gegenüber auf, ihre Schnauzen berührten sich und Blossi galoppierte die Volte in entgegengesetzter Richtung. Tinka schnaubte.

Die Darsteller applaudierten.

»So schade, dass Tinka kein Gangpferd ist«, meinte Tara bedauernd. »Sonst würde ich sie sofort engagieren!«

»Gangpferd?«, fragte Kim verwundert. »Sie kann doch sehr schön gehen!«

Franzi schmunzelte. »Islandpferde nennt man Gangpferde, weil sie zwei Gangarten mehr als die anderen Pferde beherrschen. Eben nicht nur Schritt, Trab und Galopp, sondern auch noch Tölt und Fliegenden Pass!«

»Schau, Blossi töltet jetzt!«, erklärte Marie.

»Das sieht aus, als würde er fliegen«, meinte Kim beeindruckt. »Ganz ruhig und entspannt. Irgendwie, als hätte er ein fünftes Bein, das immer auf dem Boden ist.«

»Ja, für jemanden, der sich nicht mit Pferden auskennt, mag das so aussehen.« Einer der Trolle hatte sich zu den drei !!! umgedreht. Franzi konnte sich nicht entscheiden, ob sie die Bemerkung des Trolls wegen seines Kostüms oder wegen der unfreundlichen Art ärgerte.

Doch Tara schien ebenfalls irritiert, denn sie ging auf den Troll zu und sagte: »Na komm, Nikki. Du bist doch auch nicht mit einem Islandpferd unter deinem Po geboren worden. Auch wenn du es dir nicht

vorstellen kannst, aber es soll Menschen geben, die nicht so pferdevernarrt sind wie wir und damit auch ganz gut durchs Leben kommen.«
Ups, das hatte gesessen. Franzi beobachtete, wie Nikki Tara böse anfunkelte. »Was heißt hier *auch*«, sagte sie frostig. »Ach ja, das habe ich vergessen: *Du* kommst sicher sehr gut durchs Leben. Aber kannst du das auch für andere sagen? Für die interessierst du dich doch kaum.«
Damit drehte Nikki sich um und stapfte in Richtung Sattelkammer.
Tara schüttelte den Kopf. »Ich weiß nicht, was mit Nikki los ist. Wir haben uns immer so gut verstanden. Aber in letzter Zeit ist sie abwechselnd zickig und traurig. Das ging auf keinen Fall gegen euch.«
»Vielleicht fühlt sie sich zu stark in ihre Rolle als Trollfrau ein?«, versuchte Marie eine Erklärung. »Mein Vater bereitet sich auch so auf eine neue Rolle vor.«
»Er spielt den Kommissar in der *Vorstadtwache*«, erklärte Kim.
Taras Augen wurden groß. »Echt? Wie cool. Ich bin großer Fan der Fernsehserie! Meinst du, ich bekomme ein Autogramm?«
Marie lachte. »Aber klar. Zur nächsten Probe hast du eines.«
»Dann macht ihr also mit?«, fragte Jorid, die mit einem Berg Klamotten auf dem Schoß zu ihnen rollte. »Das freut mich total!«
Sie selbst sah schon sehr elfenhaft aus mit dem silbernen Oberteil und der großen Kapuze, die sich um ihren Kopf schmiegte. Sie trug einen Rock aus Tüll, der sich rechts und links des Kleiderberges auf ihrem Schoß bauschte. An der Rückenlehne des Rollis beleuchtete eine Kette aus Sternen sie von hinten. Es sah wunderschön aus. Und sehr feierlich.
»Dein Märchen hat uns richtig gut gefallen. Wir haben überhaupt keine andere Wahl, als sofort mit einzusteigen«, meinte Franzi.
»Danke.«, Jorid lächelte und reichte den drei !!! die Kostüme. »Hier. Ihr könnt sie einfach über eure normalen Klamotten ziehen!«
»Cool, einfach nur cool«, sagte Marie und strich mit der Hand über das weiche, zottelige Fell ihrer Weste. »Und der bestickte Rock ist einfach ein Traum!«
Auch Franzi war mit ihren Pluderhosen, der Tunika und den Schnürstiefeln zufrieden.
Kim hatte zwar erst ein wenig gemeckert, aber Franzi hatte genau gesehen, wie sie sich lächelnd hin und her gedreht und den flauschigen Schal an die Wange gedrückt hatte.

»Und jetzt werde ich euch eure Pferde vorstellen.« Erla führte eine dunkelbraune und eine hellbraune Stute am Stallhalfter von der Mitte der Koppel an das Gatter heran. Neugierig streckten die beiden Pferde die Köpfe nach oben und flehmten.

»Die lachen«, meinte Kim. »Scheinen fröhliche Pferdeexemplare zu sein.«

»Das ist ein weitverbreiteter Irrtum«, erklärte Erla. »Die Tiere können so den Duft von anderen Tieren und der Umgebung aufnehmen.«

»Dann hoffe ich für euch, dass sie euch riechen können«, meinte Kim trocken.

»Na klar, ihr müsst euch nur zuerst kennenlernen.« Erla strich der dunkelbraunen Stute liebevoll über den Hals. »Das hier ist Mysla, das Mäuschen, und die hellbraune Stute heißt Ástra und das bedeutet: Liebe.«

»Und so lernen wir auch gleich ein wenig Isländisch«, scherzte Kim. »Sehr gut!«

Mysla rieb sofort ihren Kopf an Franzi und stupste sie an. »Sieht so aus, als hätte Mysla ihre Wahl getroffen«, sagte Erla. »Sie ist ein sehr liebes und geduldiges Pferd. Wenn auch manchmal etwas scheu und ängstlich. Mäuschen – wie ihr Name. Wisst ihr, wenn ein Fohlen geboren wird, dann beobachte ich es eine ganze Weile. Und plötzlich ist der Name da. Er kommt zu mir, durch die Steine und durch das Feuer. Durch die Kraft der Mutter Natur. Es ist wie Magie!«

»Soso, Magie«, murmelte Kim und wackelte ungläubig mit der Nase. Erla sah Kim mitleidig an. »Du hast noch nie die entfesselten Kräfte der Natur gespürt. Ich verüble dir das nicht. Du bist noch jung. Allerdings wünsche ich dir, dass du die Erfahrung machst, wie alles in der Natur zusammenspielt und so viel mächtiger ist als wir selbst. Manche nennen es Magie, manche Naturgeister und wieder andere sehen ein göttliches Prinzip dahinter.«

»Ich weiß, dass die Natur irrsinnige Kräfte hat, und ich finde es absolut faszinierend, wie alles von allem abhängt. Das sehen wir ja beim Thema Klimawandel. Nur das mit den Elfen und so … das glaube ich einfach nicht«, antwortete Kim.

Franzi nickte.

»Erla, meinst du, dass es hier auch Elfen gibt?«, fragte Marie mit glänzenden Augen.
»Wer weiß, wer weiß«, antwortete sie geheimnisvoll.
Marie blickte in die dunkle Augen von Ástra. »Das werden wir beide schon herausfinden, oder, meine Schöne?« Marie blickte auf. »Ástras Augen sind unglaublich ... tief und klug.«
Erla nickte. »Ástra ist geheimnisvoll. Du wirst etwas Zeit brauchen, bis sie dir voll vertraut, aber hast du erst einmal ihr Herz erobert, dann hast du eine Freundin fürs Leben«, erklärte sie und wuschelte Ástra durch die helle Mähne. Dann legte sie die Hände gleichzeitig auf die Seiten der Pferde und schloss die Augen für eine kleine Weile. »Ja, das passt. Ich kann euch Ástra und Mysla anvertrauen.« Sie übergab Marie und Franzi jeweils den Führstrick.
Die beiden schlüpften durch die weit auseinanderstehenden Holzbohlen und streichelten die Pferde. Tinka kam sofort angetrabt und legte den Kopf schief. Offensichtlich war es ihr alles andere als recht, dass Franzi mit Mysla kuschelte.
Kim ging zu ihr und flüsterte in ihr Ohr: »Keine Panik, du bist und bleibst ihre Nummer eins, weißt du doch.«
Tara hob die Arme. »Achtung, wir beginnen mit der Szene, in der die Elfen vor der Eisflut davonreiten. Franzi und Marie? Ihr vertraut euren Pferden und folgt ihnen.«
Alle nickten.
Im nächsten Augenblick ertönte ein hoher Schrei.
Sanna rannte ihnen aus dem Haus entgegen, ihr Gesicht schreckverzerrt.
»Es ist alles aus!«, schrie sie.

Weihnachts-Elfen-Look

Du willst aussehen wie die Elfen in Jorids Weihnachtsmärchen? Mit ein paar Griffen in den Kleiderschrank und einem glitzernden Geschenkband ist das ganz leicht.

Du brauchst:
- ein langes weißes T-Shirt von Papa, deinem großen Bruder, deiner großen Schwester oder Mama
- eine Leggings
- dicke Strümpfe oder Beinstulpen
- ein glitzerndes, ca. 3 cm breites und 4 m langes Geschenkband aus Stoff

So wird's gemacht:
Ziehe T-Shirt und Leggings an. Nun bindest du ein Stück Geschenkband als Gürtel um die Taille und ein weiteres Stück als Stirnband um den Kopf.
Ziehe die dicken Strümpfe oder Stulpen an und hurra! Schon bist du eine Elfe.

<u>Maries Tipp:</u> Wenn du noch Band übrig hast, kannst du es über Kreuz um deine Waden binden. Das sieht hübsch und ebenfalls sehr elfig aus.

6. Dezember

Bank-Angelegenheiten

»Das Geld ist weg. Alles. Wir müssen sofort stoppen.« Sanna vergrub schluchzend ihr Gesicht in den Händen. Die Nikolausmütze, die sie sich gegen die Kälte aufgesetzt hatte, hing schief auf ihrem Kopf.
Franzi blickte verwirrt auf. Welches Geld? Sanna war ja völlig außer sich.
Suchend wandte sie sich um. Was Marie und Kim wohl von der Sache hielten? Offensichtlich waren sie auch verunsichert. Marie starrte abwechselnd von Sanna zu Jorid, und Kim hatte erwartungsvoll den Kopf gehoben und schien zu warten, was weiter passierte.
Jorid rollte zu ihrer Mutter. Einige Wurzeln, die über den Boden verliefen, machten es ihr schwer, voranzukommen. »Mama, jetzt warte doch mal. Vielleicht ist das Geld nur verrutscht?«, versuchte Jorid ihre Mutter zu trösten.
»Zweihunderttausend Euro? Verrutscht? Wohl eher nicht. Du weißt doch, dass das ein ganzer Sack mit Geldscheinen war«, rief Sanna. »Was sollen wir denn jetzt tun? Die Polizei will ich nicht rufen. Wie soll ich denen denn erklären, warum wir so viel Bargeld im Haus haben?«
Kim wandte sich an Jorid: »Die Frage kommt mir auch sofort in den Kopf. Warum habt ihr denn so viel Geld im Haus? Habt ihr eine Bank überfallen?«
»Quatsch.« Jorid winkte ab. »Alter Familienaberglauben meines Vaters. Das Geld vermehrt sich nur, wenn man es an einem Ort aufbewahrt, an dem man sich wohlfühlt. Dann fühlt sich angeblich auch der Reichtum wohl. Na ja. Mein Vater ist zwar eigentlich nicht abergläubisch, aber in diesem Punkt schon. Manchmal kann man sich über ihn wundern. Er ist immer für eine Überraschung gut. Also hat er das Geld in die Küchenbank gelegt. Den gemütlichsten Ort im Haus.«
»Bank ist eben nicht gleich Bank«, kicherte Kim. »Entschuldigung«, fügte sie bestürzt hinzu, als sie Jorids ernstes Gesicht sah. »Dir ist bestimmt gerade überhaupt nicht nach Scherzen zumute. Das war sehr unsensibel von mir.«

Jorid winkte ab. »Ach was, meine Mutter und ich sagen Einar schon die ganze Zeit, wie dämlich es ist, unsere gesamten Ersparnisse in einem alten Jutesack aufzubewahren. Allerdings weiß ich im Moment auch nicht, wie es ohne das Geld weitergehen soll. Der Umbau des Hauses ist nicht abgeschlossen und in eine Pferdeshow muss erst einmal viel investiert werden. Dabei ist es immer unsicher, ob man überhaupt etwas daran verdient.«

Die drei !!! sahen sich an. Und nickten. Dieser Tag schien ihr Glückstag zu sein. Erst das Versprechen auf wunderbare und interessante Pferdeweihnachten und nun ein neuer Fall.

Kim nestelte mit der Hand unter dem Elfenkostüm, bis sie an ihre Hosentasche reichte. Sie zog eine Visitenkarte heraus und reichte sie Jorid.

»Wir können euch helfen herauszufinden, wer das Geld genommen hat. Wir sind die drei !!! und haben schon viele Fälle erfolgreich gelöst.«

Jorid nahm die Karte und studierte sie ausgiebig. Dann wandte sie sich um und rief: »Mama, schau mal.«

Sanna hob den Kopf. »Was ist?«

Jorid wedelte mit der Visitenkarte herum. »Vielleicht können wir mit der Polizei wirklich noch warten. Kim, Franzi und Marie sind nämlich nicht nur unsere neuen Elfen, sondern auch Detektivinnen.«

Sanna trat näher. »Detektivinnen? Ihr seid doch viel zu jung. Ist das nicht gefährlich?«

Alle drei schüttelten gleichzeitig den Kopf.

»Kommissar Peters, unser Mann bei der Polizei, denkt das auch manchmal«, gab Kim grinsend zu. »Trotzdem ist er froh, uns zu haben, und unterstützt unsere Arbeit.«
»Wenn es also zu gefährlich werden sollte, ruft ihr die Polizei um Hilfe?«, fragte Sanna nach.
Nun nickten alle drei gleichzeitig. »Klar!« »Logo!« »Selbstverständlich!«
Sanna klopfte sich mit überkreuzten Armen warm. »Dann würde ich mich sehr freuen, wenn ihr den Fall übernehmt! Ich muss jetzt wieder rein. Ich friere und ich muss mich jetzt erst einmal setzen. Wenn das Geld nicht wieder auftaucht, können wir unseren Traum von Hestaheimur erst einmal auf Eis legen. Oder vielleicht lieber ganz in den Wind schreiben.«
»Wir versprechen, dass wir unser Bestes geben, sowohl Weihnachten für die Elfen zu retten als auch Hestaheimur. Indem wir den Täter schnappen. Wir fangen sofort nach der Probe mit den Ermittlungen an, einverstanden?«
Sanna sah die drei !!! dankbar an und wandte sich um, um ins Haus zurückzugehen.
»Eine Sache noch«, meinte Kim. »Es wäre toll, wenn wir eine Liste der Menschen bekommen könnten, die einen Schlüssel fürs Haus haben.«
»Und eine Liste der Verdächtigen, die zweihunderttausend Euro gebrauchen können«, meinte Franzi und zwinkerte.
Sanna lachte gequält auf und seufzte dann. »Einen Schlüssel braucht man nicht, um hineinzukommen. Bei uns steht die Tür immer offen. Zumindest tagsüber. Aber eine Liste von Menschen, die bei uns ein und aus gehen, bekommt ihr, versprochen. Ein Verzeichnis von allen Menschen, die zweihunderttausend Euro gebrauchen können, findest du beim Einwohnermeldeamt. Ich denke nämlich, da handelt es sich um alle Bürger und Bürgerinnen dieser Stadt.«

Jorid saß verloren an der Pferdekoppel und starrte ins Leere, als die drei !!! von dem Gespräch mit Sanna kamen.
»Das ist eine Katastrophe«, meinte Franzi. »Gerade jetzt, wo es mit den Proben so richtig losgehen sollte, legt jemand der Familie einen Stein in den Weg. Kein Wunder, dass Jorid verzweifelt ist.«

»Findest du, dass sie verzweifelt aussieht?«, fragte Marie. »Eher verträumt, wenn du mich fragst.«

Kim wedelte Marie mit der Hand vor der Nase herum. »Hallo? Der Familie sind gerade zweihunderttausend Euro gestohlen worden. Würdest du da verträumt in der Gegend herumgucken?«

»Eher nicht. Das ist ja das Merkwürdige«, erwiderte Marie bestimmt. Sie überlegte kurz. »Vielleicht habe ich mich getäuscht.«

Tara kam aus dem Stall, in der Hand eine Trense. Sie nickte Kim, Franzi und Marie zu und stellte sich neben Jorid.

»Wie geht es dir?«, fragte Tara besorgt und umarmte sie. »Willst du proben, oder sollen wir die Sache auf morgen verschieben?«

»Wir proben!«, beschloss Jorid mit fester Stimme. »Ich bin davon überzeugt, dass Kim, Franzi und Marie uns helfen werden, das Geld wiederzubekommen.«

»Sehr schön.«

Tara notierte sich etwas auf dem Skript, das sie auf einem Klemmbrett mit sich trug.

Marie stemmte die Hände in die Hüften. »Nein, ich habe mich doch nicht getäuscht«, behauptete sie leise.

»Wobei hast du dich nicht getäuscht?«, fragte Tara neugierig.

Marie fühlte sich ertappt. »Äh ... dass wir heute doch noch proben«, stotterte sie.

»Ich hatte es auch gehofft«, erwiderte Tara und lächelte Jorid an. »Kim, du bist bei Jorid. Franzi und Marie? Erla hat Ástra und Mysla für euch geputzt und gesattelt. Sie warten schon ungeduldig auf euch.«

Wärmendes Fußbad

Weihnachts-Ermittlungen können schon mal frostig sein. Oder warst du einfach nur zu lange mit deinen Freundinnen auf dem Weihnachtsmarkt? Gegen Eiszapfenfüße bewirkt dieses Ingwer-Fußbad Wunder.

Du brauchst:
- eine Schüssel mit warmen Wasser
- geschälten frischen Ingwer
- Handtuch zum Trocknen

So wird's gemacht:
Schäle die Ingwerknolle und gib mindestens drei bis vier große Scheiben in dein Fußbad.
Fülle die Schüssel mit warmem Wasser und stelle die kalten Füße hinein. Ahhh! Merkst du schon, wie der Ingwer deine Füße wärmt?

Maries Tipp: Lade deine Freundinnen und Freunde zu dem Fußbad ein. Dann könnt ihr in Ruhe quatschen, während eure Füße auftauen.

7. Dezember

T(r)olle-Ermittlungen

Franzi juchzte. Tölten war einfach fantastisch. Sie flog nur so über die Erde dahin, sie spürte kaum, wie Myslas Hufe den Boden berührten. Sie musste Mysla kaum Hilfen geben, ein bisschen Beindruck und das Pferd wusste genau, was Franzi wollte. Sie waren erst seit einer halben Stunde ein Team, doch es fühlte sich so vertraut und einfach an. Sie schielte hinüber zu Marie, die neben ihr auf Ástra ritt und selig lächelte. Ihr schien es offensichtlich ebenso zu gehen. Blossi, der glänzend schwarze Hengst, war das Leittier, dem alle folgten. Tara machte eine exzellente Figur auf ihm.
Als die Trolle mit künstlichem Schneegestöber den Pferden entgegenstürmten, stieg er und wieherte. Die anderen Pferde machten es ihm nach. Franzi lächelte. Auf Mysla war es leicht, das Gleichgewicht zu halten. Ihre Bewegungen waren sanft und kontrolliert zugleich.
Plötzlich lief Tinka an den anderen Pferden vorbei, direkt nach vorne zu Blossi. Er lief los, galoppierte und Tinka schloss sich ihm an. Automatisch machten die anderen Pferde Platz für sie.
Franzi traute ihren Augen nicht. War das ihre Tinka? Tinka war eine wunderschöne Stute, ganz klar. Aber nun strahlte sie von innen heraus und Blossi und sie ergaben das Bild eines perfekten Paares. Ihre Fellfarben waren so gleich, dass sie ineinander verschmolzen.
Franzi seufzte. Tara kam mit Blossi zum Stehen und drehte sich um: »Wie wäre es? Tinka ist zwar kein Islandpferd, aber in diesem Stück geht es um Liebe. Und ich habe noch niemals zwei so verknallte Pferde gesehen. Darf sie mitmachen?«
Franzi legte die Hände zu einem Trichter und rief nach vorne: »Klar, darf sie.«

»Das Zeug hält wenigstens warm«, sagte Kim, als sie sich im Flur von Hestaheimur aus ihrem Kostüm pellte. Sie legte die Teile sorgfältig auf den Schaft ihrer Stiefel.
Franzi tat es ihr gleich. Die Haken der Garderobe waren proppenvoll mit Jacken und Mützen und Schals, sodass sie gar nicht erst versuchte, ihre dicke Winterjacke dort unterzubringen.

Jorid deutete genervt auf die Unordnung. »Keine Ahnung, warum Nikki ihre Jacke hier aufhängt. Normalerweise zieht sich die Besetzung in dem kleinen Raum neben der Sattelkammer um. Da ist es warm und man bringt den Pferdeschmutz nicht ins Haus rein.«
Franzi warf Kim und Marie einen verschwörerischen Blick zu. Nikki war also offensichtlich hier im Haus oder war hier im Haus gewesen. Ob man allerdings vorher die Jacke auszog, wenn man Geld stehlen wollte? Eher unwahrscheinlich. Trotzdem: Franzi war eine gute Detektivin und gute Detektivinnen bewerteten nicht sofort, sondern sammelten erst einmal alles Beweismaterial, das sie finden konnten.
»Seid ihr das?«, hörten sie Sanna. »Ich habe in der Küche alles so gelassen, wie es war.«
Das stimmte tatsächlich, denn als die drei !!! durch die Tür kamen, war die Küche noch das gleiche Kochschlachtfeld wie vorher.
»Mein Vater kocht wirklich gut, vor allem Eintöpfe, aber irgendwie scheint er beim Kochen immer zu explodieren«, erklärte Jorid die übereinandergestapelten Teller, Töpfe, Tiegel und Pfannen.
»Das ist der isländische Vulkan in mir«, stellte Einar fest. Dann deutete er auf die Küchenbank. »Das ist der Tatort. Wir haben nicht mal den Deckel wieder zugeklappt!«
Sanna reichte den drei !!! einen Zettel, auf dem sie handschriftlich Namen geschrieben hatte. »An mehr Besucher kann ich mich nicht erinnern«, meinte sie.
Franzi lugte auf das Papier. Zum Glück war die Anzahl überschaubar. Hoffentlich konnten sie da schon ein paar ausschließen.
Kim hatte ihre Lupe aus dem Rucksack genommen und sah sich in der Zwischenzeit die Bank und den Boden darumherum genauer an. »Nichts. Außer ein paar Zimtschneckenkrümel von vorhin«, stellte sie fest und kroch ein Stück unter die Bank. Im nächsten Augenblick dudelte Musik los und etwas krächzte laut: *Glädiläjousch!*«
Kim stieß einen spitzen Schrei aus und stieß sich den Kopf vor Schreck an der Bank an.
»Ach du liebe Zeit. Da unten steht der Weihnachtstroll. Den habe ich schon überall gesucht!« Einar war die Sache sehr unangenehm. »Würdest du ihn mit vornehmen?«
Kim hustete und zerrte eine grimmig aussehende Puppe ans Tageslicht.

»*Glädiläjousch! Glädiläjousch!*«, knarrte er wieder los.

»Was sagt der Wicht? Das klingt bedrohlich!«, meinte Franzi entsetzt. »Will er uns an den Kragen?«

»Nein, er wünscht uns *Frohe Weihnachten*. Gleðileg jól«, sagte Jorid und konnte sich das Lachen kaum verkneifen. »Jaja, die isländischen Weihnachtstrolle sind keine lieblichen Geschöpfe.«

»Diese glühenden Augen. Ich habe mich zu Tode erschreckt!« Kim war bleich im Gesicht und stellte den Troll auf den Tisch. »Da sind mir Engel, Rentier und Co schon lieber. Bekommen die isländischen Kinder denn keine Angst?«

»Ach, die sind von klein auf daran gewöhnt. Und schließlich bringen die Trolle die Geschenke. Da gucken die Kinder vielleicht nicht so auf Äußerlichkeiten«, beschwichtigte Einar.

Kim holte das Fingerabdruckset aus ihrem Rucksack und begann, den Tisch, die Bank und das Fenster dahinter einzupinseln. »Oh, das ist 'ne Menge!«, stöhnte sie.

»Warte, wir helfen dir, sie abzunehmen«, bot Franzi an und Marie nickte.

Vorsichtig sicherten sie mit Klebestreifen die unterschiedlichen Fingerabdrücke auf einem Papier.

»Wusste jemand außerhalb der Familie von der ganz besonderen Geldbank?«, begann Marie die Befragung.

»Wir haben lange in Island gelebt. Da wohnen nur wenige Menschen und im Prinzip kennt jeder jeden und ist fast mit allen auf die ein oder andere Weise verwandt. Wir vertrauen einander, wir helfen einander und unsere Häuser sind selten abgeschlossen. In dieser unwirtlichen Gegend sind wir aufeinander angewiesen. Was ich damit sagen will: Hier haben wir es ähnlich gehandhabt. Wir haben vertraut und keinen Hehl daraus gemacht, dass wir unser Geld im Haus aufbewahren. Nur wo genau, das wusste bloß die Familie.«

»Und Erla!«, ergänzte Jorid.

»Aber da eure Tür offen ist, wäre es auch nicht unmöglich gewesen, unbemerkt ins Haus zu kommen und nach dem Geld zu suchen?«, überlegte Franzi und legte ein Stempelkissen auf den Küchentisch.

»Nein, das wäre möglich, aber eigentlich ist immer jemand aus der Familie in der Küche.«

Kim deutete auf das Stempelkissen. »Auf dieses Papier drückt ihr bitte unter euren Namen eure Fingerabdrücke, damit wir sie später erkennen«, bat sie.

Jorid, Einar und Sanna nickten und drückten ihre Fingerkuppen erst auf das Stempelkissen und dann aufs Papier.

»Gibt es eigentlich jemanden, dem Hestaheimur ein Dorn im Auge ist?«, setzte Marie die Befragung fort.

Jorid schüttelte entschieden den Kopf. »Ich weiß niemanden. Warum sollte es jemanden stören, dass wir den Hof restaurieren und hier Pferde züchten?«

»Gibt es hier zum Beispiel eine andere Pferdezucht in der Nähe?«, bohrte Kim nach.

»Du meinst, jemand, der uns als Konkurrenz wahrnehmen könnte?«, überlegte Jorid.

Einar setzte sich zu ihnen an den Küchentisch. »Es gibt da einen Pferdehof, mit dem wir von Island aus schon zusammengearbeitet haben. Dorthin haben wir ab und an Pferde vermittelt. Deren Haupteinnahmequelle ist aber nicht das Islandpferde-Geschäft, sie züchten Warmblüter. Ich kann mir beim besten Willen nicht vorstellen, dass der Betrieb ein Problem mit uns hat.«

»Im Gegenteil«, ergänzte Sanna. »Ist ja sogar ganz gut, wenn man sich mal aushelfen kann. Mit einem Pferdetransporter oder so.«

In diesem Augenblick trat Erla durch die Tür.

»Ich kann mir schon vorstellen, wer ein Problem mit dem Hof haben könnte«, warf sie ein und ihre Stimme klang dabei ziemlich bedrohlich.

Tomtemoosgärtchen

Kennst du den Jultomte? Das ist der schwedische Weihnachtsmann, der in der Weihnachtszeit Menschen und Tiere beschützt und die Weihnachtsgeschenke bringt. Er ist ein niedlicher Wichtel den man durchaus zu sich einladen sollte. Mach es ihm bequem, indem du ihm ein kleines Moosgärtchen anlegst und immer mal wieder neu für ihn schmückst.

Du brauchst:
- ein paar schöne Zweige, Zapfen, Beeren, Steine, Moos – was dir gefällt
- einen hü bschen Ort im Haus oder im Freien

So wird's gemacht:
Schmücke das Tomtegärtchen (z.B. in der Ecke deines Zimmers oder an einer schönen Stelle im Garten) mit Moos aus und baue ihm aus Zweigen und Zapfen ein kleines Haus. Füge jeden Adventstag ein »Schmuckstück« hinzu.

Maries Tipp: Du kannst so ein Tomtegärtchen auch als Adventskalender benutzen. Schenke es einer lieben Person und lege jeden Tag eine neue Kleinigkeit hinein. Es würde mich nicht wundern, wenn der Jultomte zum Dank ab und zu eine süße Kleinigkeit für dich fallen lässt!

8. Dezember

Doppelter Elfenfrust

»Was meinst du?«, fragte Franzi. Erlas Gesichtsausdruck jagte ihr einen unbehaglichen Schauer über den Rücken.

»Die Elfen«, antwortete Erla und schloss die Augen. »Sie sind nicht mit allem einverstanden, was hier passiert. Und niemand weiß, wie sie ihr Missfallen zum Ausdruck bringen.«

Kim sah Erla irritiert an. »Du kannst dir vorstellen, dass ein paar deutsche Elfen das viele Geld aus der Küchenbank gemopst haben?«

»Das kann ich mir nicht nur vorstellen. Ich weiß, dass sie Rache planen. Ich höre sie!«, sagte Erla geheimnisvoll. »Sie mögen nicht, wie sich einige Menschen hier auf Hestaheimur verhalten.«

Sanna sah erschrocken zu Jorid und Jorid rollte mit den Augen.

Einar aber wurde richtig wütend: »Erla, hör auf mit dem Unsinn. Du bist die beste Pferdetrainerin, die ich kenne. Ich schätze deine Arbeit und die Pferde lieben dich. Deshalb freue ich mich sehr, dass du mit uns nach Deutschland gekommen bist. Ich kann es sogar akzeptieren, dass du daran glaubst, dass es Elfen gibt, und dass du denkst, dass sie mit dir sprechen. Aber ich verbiete dir, meiner Frau und meiner Tochter Angst einzujagen!« Er funkelte Erla wütend an.

»Du wirst schon sehen, wohin dich dein Verhalten führt!« Erla verzog das Gesicht zu einer Grimasse, stürmte hinaus und schlug die Tür so heftig zu, dass einer der Weihnachtswichtel vom Regal fiel und in Stücke zerbarst.

Einen kurzen Moment traute sich niemand, etwas zu sagen.

»Musste das sein?«, fragte Sanna irgendwann leise. »Wir hatten doch vereinbart, uns deswegen nicht gegenseitig anzugreifen.«

»Erla hat doch zuerst die Vereinbarung gebrochen«, verteidigte sich Einar. »Und überhaupt: Ich verstehe immer noch nicht, warum du in diesem Punkt auf Erla hörst. Ich bin doch von klein auf mit diesem Unsinn aufgewachsen. Und du? Glaubst sogar, dass es hier in Deutschland Elfen gibt.«

»Ich habe auf Island so einiges gelernt. Auch, dass es mehr zwischen Himmel und Erde gibt, als wir uns vorstellen können«, erwiderte Sanna.

»Das glaube ich gerne«, meinte Einar. »Doch ich glaube eben nicht an Übersinnliches.«
»Wir auch nicht«, sagte Kim. »Zumindest zwei Drittel von uns«, verbesserte sie sich mit einem Blick auf Marie.
»Was ist mit der Besetzung? Könnte es da Neid oder so etwas geben?«, fragte Franzi, die unbedingt von dem Elfenthema loskommen wollte.
»Ich weiß von nichts«, meinte Jorid. »Aber ich denke, wir befragen sie am besten selbst. Sie sind sicher noch bei den Pferden.«

Franzi schlüpfte in ihre dicke grüne Winterjacke und suchte gleichzeitig ihren rechten Stiefel.
Auf einem Bein hüpfte sie im Flur auf und ab und wühlte mit dem anderen im Schuhberg aus Sneakers und Winterstiefeln, der sich vor der Garderobe gebildet hatte.
Wo war bloß der Schuh? Sie blickte sich suchend um und sah, dass er genau auf der anderen Seite des Flurs vor einer Tür gelandet war. Na schön, dann würde sie eben dorthin hüpfen.
Sie lehnte sich an die Tür, um besseren Halt zu haben. Die Tür war allerdings nur angelehnt und Franzi fiel beinahe um. Sie konnte sich gerade noch mit der Hand an der Türklinke festhalten. Sie hörte Einars Stimme. Offenbar telefonierte er.
»Lassen Sie mich bitte nachsehen. Nein, ich weiß gerade gar nicht, worüber Sie sprechen. Ja?«
Franzi sah, dass Einar zu einem Schreibtisch ging und in einem Stapel von Papieren wühlte.
»Leider kann ich nicht finden, was Sie erwähnten. Ich habe nur den Plan, den wir besprochen haben. Und ich bitte Sie, diesen so umzusetzen, wie wir beide es vereinbart haben. Alles andere ist nicht im Budget.«
Franzi versuchte, sich alles zu merken. Das war eindeutig ein sehr unangenehmes Gespräch. Sie hörte es an Einars Stimme.
»Hier hat sich auch einiges geändert«, meinte Einar nun. »Wissen Sie was? Wir frieren unser Vorhaben ein. Es gibt Gesprächsbedarf an allen Enden und dem muss ich erst einmal nachkommen.«
Nun klang Einar nicht mehr besonders verständnisvoll. Sondern verzweifelt und wütend.

»Der Zeitplan? Der ist mir im Moment total egal. Ja, dann muss ich meine Tochter eben noch ein wenig herumtragen. Das habe ich getan, seit sie auf die Welt gekommen ist. Auf Wiederhören.«
Einar knallte das Handy auf den Schreibtisch und verschwand durch eine andere Tür.
»Das ist ja interessant«, murmelte Franzi. »Jorid, weißt du, von welchen Plänen dein Vater spricht?«
Jorid blickte vom Stiefelschnüren auf und rollte zur Seite, um Franzi Platz zu machen.
»Pläne? Kann sich eigentlich nur um die Umbaupläne handeln. Wir müssen hier auf dem Hof einiges erneuern. Mein Vater hat einen Architekten beauftragt. Er heißt Schaper, glaube ich.«
»Und hat dein Vater Schwierigkeiten mit ihm? Das klang gerade so«, fragte Franzi.
»Nö, nicht dass ich wüsste.« Jorid zuckte mit den Schultern, die allerdings aufgrund eines riesigen roten Schals, den sie sich um den Hals geworfen hatte, kaum zu sehen waren.
»Lasst uns mal nach draußen gehen. Sonst erschwitze ich hier noch«, meinte Marie und öffnete die Tür.

Draußen schneite es wieder und ein leichter Wind war aufgekommen, der die Flocken in kleinen Wirbeln über den Boden trieb. Die meisten Pferde waren im Offenstall, der sich an die Sattelkammer und die kleine Reiterstube angliederte.
Die Pferde standen in Gruppen dicht beieinander, hatten die Köpfe an die Hälse der anderen gelehnt und knabberten an derem Fell. Ihr Atem stob in weißen Wolken aus ihren Nüstern.
Franzi lächelte. Das war einer ihrer Lieblingsanblicke. Winter, Schnee und Pferde! Schön! Nie im Leben hätte sie gedacht, dass der Überraschungs-Weihnachtstag für Kim und Marie so eine Wendung nehmen würde.
Sie gingen beziehungsweise rollten ins Stallgebäude.
Eine noch als Troll verkleidete junge Frau kam sofort auf Jorid zu. »He, ich wollte dir sagen, dass mir das mit dem Diebstahl leidtut. Aber ich habe gerade mit allen gesprochen. Macht euch bitte wegen der Bezahlung keine Sorgen. Wir machen weiter, komme, was wolle.«

Jorid sah die Trollfrau dankbar an. »Nellie, ich muss dir sagen, so verhält sich kein Troll«, rügte sie gespielt sauer. »Die sind nicht so nett. Du musst dich noch besser in deine Rolle einfühlen, wenn du überzeugend sein willst.« Sie grinste. »Danke dir. Das weiß ich zu schätzen.« Jorid formte die Hände zu einem Trichter. »Danke an alle«, rief sie laut in den Stall hinein. »Ihr seid die Besten! Und würden alle Besten mal kurz zusammenkommen?«
Sie rollte in die Mitte der Stallgasse.
»Ihr alle habt mitbekommen, dass heute etwas Schreckliches passiert ist. Das Geld, das wir für die weitere Renovierung von Hestaheimur und für eure Gagen zurückgelegt hatten, wurde gestohlen. Ich bin euch so dankbar, dass ihr zunächst – und das betone ich ausdrücklich – auf Geld verzichtet.« Sie applaudierte der Besetzung, die sich daraufhin verneigte.
»Das ist selbstverständlich«, meinte Tara.
»Es ist *nicht* selbstverständlich«, fiel Nikki ihr ins Wort. »Aber natürlich bin ich auch dabei.« Sie lächelte Jorid an.
Franzi schauderte. Nikki und Tara, die beiden waren wirklich nicht gut aufeinander zu sprechen.
Die ganze Zeit gerieten sie aneinander.
»Und jetzt machen wir weiter«, rief Jorid feierlich. »Obwohl wir uns noch gar nicht so lange kennen, helft ihr uns damit sehr.« Sie wischte sich eine Rührungsträne aus dem Augenwinkel. »Und möglicherweise könnt ihr uns sogar noch mehr helfen?«

Superschnelles, cooles Weihnachtsgeschenk

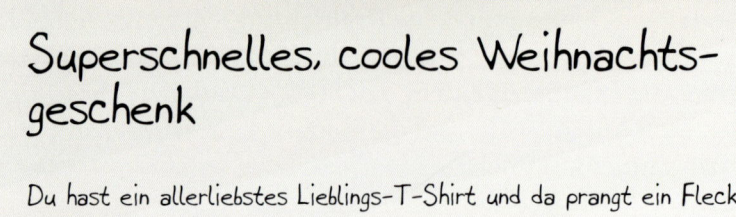

Du hast ein allerliebstes Lieblings-T-Shirt und da prangt ein Fleck, der einfach nicht mehr herausgehen will? Hier kommt die Lösung: Verschenke das Shirt als Tasche. (Oder schenke sie dir selbst?)

Du brauchst:
- ein T-Shirt (der Stoff sollte nicht zu dünn sein)
- eine Schere

So wird's gemacht:
Schneide den Kragen im Halbkreis (ruhig großzügig, sonst wird die Öffnung zu klein) und die Ärmel ab. So entstehen die Öffnung und die beiden Henkel.
Nun schneidest du in den T-Shirt-Rand von unten 7 cm lange Streifen. Du hast nun Fransen. Die Fransen, die aufeinanderliegen, verknotest du fest miteinander. So fährst du fort, bis die Tasche »geschlossen« ist. Fertig!

Maries Tipp: Male ein weihnachtliches Motiv auf die Tasche oder schreibe einen passenden Spruch darauf.

9. Dezember

In der Weihnachtsbäckerei

»Das hier sind Kim, Franzi und Marie.« Jorid strahlte die drei !!! an. »Aber die kennen wir schon«, meinte Nellie verwundert. »Das sind doch unsere Aushilfselfen!«
»Nicht nur«, sagte Jorid geheimnisvoll. »Sie sind auch Detektivinnen. Vielleicht habt ihr schon einmal von den drei !!! gehört?«
»Klar, ihr kamt mir gleich so bekannt vor«, sagte eine der Troll-Darstellerinnen.
»Und die drei haben sich freundlicherweise bereiterklärt, in unserem Fall zu ermitteln. Deshalb übergebe ich das Wort nun an sie.«
»Uahhh, dann sind wir nun also alle verdächtig und keiner darf den Stall verlassen?«, kicherte Nellie. »Wie bei Miss Marple!«
Kim trat von einem Bein auf das andere. Die Ankündigung von Jorid schien ihr unangenehm zu sein. Trotzdem machte sie einen Schritt nach vorne.
»Erst einmal will ich sagen, dass hier niemand ohne Grund verdächtigt wird und auch niemand bleiben muss, bis wir den Fall gelöst haben.« Sie lächelte. »Aber möglicherweise habt ihr etwas beobachtet oder euch ist etwas zu Ohren gekommen, was uns weiterbringt. Bisher wissen wir nämlich nur, dass das Geld weg ist. Kommt gerne auf uns zu«, schloss sie.
Alle nickten und wandten sich wieder ihrer vorherigen Beschäftigung zu.
Nur Nikki blieb stehen. »Kann ich euch sprechen?«
»Klar, schieß los!« Kim zückte ihr Notizheft.
»Ich weiß nicht genau, wie ich anfangen soll«, druckste sie herum. »Aber Erla führt irgendwas im Schilde. Ich habe beobachtet, wie sie sich mit Einar streitet. Ich kann mir vorstellen, dass sie ihm schaden will. Und sie weiß bestimmt, wo das Geld gelagert war, schließlich wohnt sie mit im Haus.«
»Danke«, nickte Franzi.
»Das ist natürlich kein Beweis, aber ich musste es irgendwie loswerden. Und jetzt muss ich mich wieder um Drakin kümmern, den kleinen Drachen.« Nikki ging zu ihrem gescheckten Islandpferd zurück.

Nellie kam auf Nikki zu und hakte sie unter. »Gute Neuigkeiten! Ich kann dir mit der Kaution für die Wohnung aushelfen«, sagte sie. »Ich habe meine Eltern gefragt.«

»Danke. Wie lieb von dir«, meinte Nikki. »Nicht mehr nötig. Ich habe keine Geldsorgen mehr.«

Franzi sah Kim an und Kim Franzi. Auch sie hatte das Gespräch gehört. Dann blickte sie auf die Uhr. »Schon so spät? Wir werden zum Teetrinken erwartet. In der winklerschen Weihnachtsbäckerei.«

»Pick, pickpickpick, pick pickpickpick, pickpickpick pick pick pick pick!« Polly hob den Kopf und blickte stolz in die Runde.

»Du Wunderhuhn.« Franzi streichelte die puscheligen Federn ihres Zwerghuhns. »Das war ganz eindeutig zu erkennen! Das war …«

»*Morgen kommt der Weihnachtsmann*?«, rief Kim.

»*Vom Himmel hoch, da komm ich her*?«, versuchte es Marie.

Franzi legte den Kopf schief und sah leicht beleidigt aus. »Musikbanausen! Das war eindeutig *O Tannenbaum*! Pick pickpickpick und so weiter. Das ist genau der Rhythmus.«

Chrissie, Franzis Schwester, die neben Herrn und Frau Winkler auf der Küchenbank saß, kicherte. »Ich habe dir gleich gesagt, dass du deine Zeit verschwendest.« Sie stand auf, holte den Weihnachtsteller mit den Kuchenstücken darauf und stellte ihn auf den Holztisch. Direkt neben den Adventskranz aus getrockneten Hagebutten, auf dem bereits zwei Kerzen brannten. »Ein Stück Kinderpunschtorte auf diese Enttäuschung, Schwesterherz?«

Franzi nahm Polly auf den Arm. »Hör nicht auf Chrissie«, flüsterte sie ihr sanft ins Ohr. »Du hast das ganz toll gemacht. Wir haben nur sechs Stunden geübt. Da kann man nicht erwarten, dass jeder das Lied erkennt.«

Marie und Kim prusteten los. »Du hast im Ernst sechs Stunden mit Polly geübt?«, fragte Marie und zog die Augenbrauen hoch.

Franzi nickte. »Klar, es ist unglaublich, dass man sie überhaupt dressieren kann. Ich bitte also um Bewunderung.«

Kim und Marie streichelten Polly. »Feines, feines Weihnachtshuhn«, meinte Kim dabei.

»Das könnte man jetzt auch falsch verstehen«, lachte Herr Winkler.

»Keine Sorge, Polly, an dir ist zu wenig dran, dich essen wir nicht!«
»Papa!«, jaulte Chrissie auf. »Wir essen hier überhaupt keine Tiere mehr, schon vergessen? Wir haben veganen Kuchen und an Heiligabend mache ich einen Nussbraten.«
Herr Winkler schmunzelte. »Weiß ich doch, weiß ich doch. Tiere werden hier nur noch behandelt, nicht mehr gegessen. Und das werde ich jetzt auch mal machen. Meine Sprechstunde beginnt gleich.« Er schnappte sich einen Schokolebkuchen.
»Warte kurz«, bat Franzi. »Weißt du, dass der alte Rettlerhof wieder bewohnt ist?«
Herr Winkler nickte. »Ja, stimmt, das wollte ich dir schon die ganze Zeit erzählen. Letzte Woche war eine Erla da und hat sich erkundigt, ob ich schamanische Heilungen an Islandpferden vornehmen würde. Und da hat sie mir erzählt, dass sie auf den Rettlerhof eingezogen sind. Mit einer Islandpferdezucht. Mit schamanischen Trommelgesängen kann ich den tierischen Bewohnern zwar nicht helfen, aber mit meinem Arztkoffer komme ich gerne.«
Wupps! Ein zweiter Schokolebkuchen verschwand in seinem Mund. Kauend ging er nach draußen.
»Das ist ja toll!« Frau Winkler war aufgestanden und rührte Teig in einer Rührschüssel an. »Ich freu mich, dass wir neue Nachbarn haben. Die Vorstellung, neben einem Geisterbauernhof zu wohnen, hat mir nie besonders behagt.«
»Wir haben sie heute bei unserem Adventsausflug kennengelernt«, erzählte Franzi. »Sie sind wirklich nett und wir werden bei ihrem Pferdestück mitspielen.«
Frau Winkler ließ das Rührgerät sinken und wollte alles wissen: über die Bewohner, das Stück, die Pferde, Tinkas neue Liebe und natürlich auch, ob Franzi schon ein geheimes isländisches Backrezept mitgebracht hatte.
»Mama, echt, du bist unmöglich!« Franzi sah ihre Mutter mit gerunzelter Stirn an.
Frau Winkler zuckte mit den Schultern. »Als selbstständige Backkünstlerin muss ich eben sehen, wo ich bleibe.«
»Als selbstständige Backkünstlerin hast du bereits deine Auftragsbücher bis Weihnachten in zwei Jahren gefüllt«, entgegnete Franzi.

»Das Hofcafé brummt und alle reißen sich um deine Kuchen. Besonders die veganen.«

»Ihre Zimtschnecken, die Franzi dabeihatte, waren ein Traum«, meinte Marie.

»Okay, okay.« Frau Winkler winkte ab. »Die Islandbackrezepte können bis Mittsommer warten. Ich habe wirklich viel zu tun. Und so, wie es aussieht, hat meine kleine Tochter aufregende Adventspläne. Ich freue mich für dich und Tinka!«

Franzi lächelte. Sie sah sich um. Und dann roch sie sich um. Wie hatte sie denken können, dass die Küche auf Hestaheimur gemütlicher war als ihre geliebte Familienküche? Seit ihrer Kindheit hatte sich hier kaum etwas verändert. Das wilde und gleichzeitig leckere Duftdurcheinander, wenn sie am Gewürzregal vorbeiging. Der Holzboden, der an bestimmten Stellen mal laut und mal leise quietschte und der eine Delle genau unter dem Tisch hatte. Dort, wo der schwere Mörser gelandet war, als sie als Fünfjährige Brennnesselsuppe hatte kochen wollen. Das Buffet, in dem die bunten Küchenhandtücher lagen, die immer leicht nach Hefeteig und Zimt rochen. Die rot-weiß karierten Vorhänge. Die Tischdecke, die ihre Oma mit kleinen Blumen bestickt hatte und die sie immer an sie erinnern würde. Das Regal mit den vielen, vielen schon vom Blättern zerfransten Backbüchern aus aller Welt, die ihre Mutter sammelte. Die weichen, gemütlichen Kissen auf den Bänken und Stühlen. Und natürlich Mama, Papa, ihre großen Geschwister Stefan und Chrissie und die viele Tiere auf dem Hof. Besonders ihre Rappstute Tinka und ihr Huhn Polly. Hier fühlte sie sich wohl und geborgen. Zu Hause.

»Erde an Franzi? Erde an Franzi?« Maries Stimme riss sie aus ihren Gedanken. »Bist du mit unserem weiteren Vorgehen einverstanden?« Kim und Marie sahen sie erwartungsvoll an. Sie traute sich nicht zu sagen, dass sie nicht die leiseste Idee hatte, wovon Marie sprach. Aber sie vertraute den beiden. Also nickte sie.

Frau Winklers Weihnachtspunsch-Glasur

Butterplätzchen sind schon lecker. Aber auch ein bisschen langweilig? Dann kommt hier der ultimative Aufpepp-Tipp für Kuchen, Kekse und Lebkuchen.

Du brauchst:
- 250 g Puderzucker
- 2 EL heißes Wasser
- 1 El Himbeersirup
- ½ TL Lebkuchengewürz

So wird's gemacht:
Alles zu einer zähflüssigen Masse zusammenrühren und mit einem Pinsel auf den ausgewählten Backwaren verstreichen. Sieht wunderbar weihnachtlich aus und schmeckt auch so.

10. Dezember

Dreieckige Baupläne

Detektivtagebuch von Kim Jülich
Samstag, 20:23 Uhr

Alle Jahre wieder ... kommt ein neuer Fall? Ja, so ist es. Leider? Ach, ich bin wirklich hin- und hergerissen. Auf der einen Seite wäre es schön, einen beschaulichen Advent und ein ruhiges Weihnachtsfest zu haben. Auf der anderen Seite sind wir mit Leib und Seele Detektivinnen. Und wir ziehen die Fälle an wie der Weihnachtsmann die Geschenke.
Franzi hat Marie und mich heute so süß überrascht. Mit einer Weihnachts-Detektiv-Rallye und anschließendem (Falsch-)Singen unter dem Weihnachtsbaum. Der draußen stand. Wir haben sogar gepicknickt. War aber nur halb so kalt, wie ich befürchtet habe. Wir hatten heißen Kinder-Glögg und leckere Zimtschnecken. Das macht beides ein warmes Gefühl im Bauch.
Tinka ist übrigens auch eine tierisch gute Spürnase. Sie hat die Liebe gerochen. Romantisch, oder? Irgendwie hat sie gespürt, dass auf dem alten Rettlerhof Islandpferde eingezogen sind, und wollte unbedingt dorthin. Und dann hat sie sich dort in den schönsten Hengst verliebt. Blossi! So niedlich, die beiden. Wir konnten sie nicht trennen. Zum Glück sind die menschlichen Bewohner (eine isländische Familie) genauso nett wie die tierischen, und die Tochter, Jorid, hat uns gleich eingeladen. Und nicht nur das: Sie führen dort ein Pferde-Weihnachtsstück auf und wir drei dürfen aushelfen! Ich muss zum Glück nicht reiten, aber Marie und Franzi sind heute schon um die Wette getöltet!
Und wir haben einen neuen Fall. Aus irgendwelchen isländischen (?) Gründen hatte die Familie ihr gesamtes Bargeld, das für den Umbau und das Theaterstück gedacht war, in der Küchenbank (!) aufbewahrt. Und nun ist es verschwunden. Allerdings wissen Einar und Sanna (so heißen Papa und Mama von Jorid) nicht, ob das heute passiert ist oder die letzten Tage. Sie gucken nicht ständig nach, ob das Geld noch da ist. Verstehe ich nicht. Ich glaube, ich würde jede Stunde nachsehen, wenn ich zweihunderttausend Euro unter dem Kopfkissen versteckt hätte.
Das Gute ist: Sanna will die Polizei noch nicht einschalten und hat uns den Fall übertragen. Und natürlich geben wir unser Bestes! Wir haben die Fingerabdrücke rund um die Küchenbank genommen und vorhin noch verglichen. Wir haben nur die der Familie, Erlas und unsere gefunden (wir haben Zimtschnecken gegessen und Vulkantee getrunken). Das hat uns nicht weitergebracht. Allerdings haben wir ermittelt, dass Erla und Einar sich öfter streiten. Einar glaubt nicht an Elfen und Erla war die Elfenbeauftragte der isländischen Regierung. Dort glauben sehr viele an das sogenannte Verborgene Volk und wollen es sich nicht mit ihm verscherzen. Wir müssen noch genau herausbekommen, um was es in diesem Streit eigentlich geht. Dann hat Franzi noch ein

merkwürdiges Telefonat von Einar belauscht, in dem es um Geld ging und um Pläne, die auf Eis gelegt werden sollen. Einar hat erst verzweifelt gewirkt und dann sogar wütend. Was man auch verstehen kann, wenn einem gerade zweihunderttausend Euro gestohlen worden sind.
Elfen-Erla ist die Trainerin der Isis. Sie hat eine coole Art, mit den Pferden umzugehen, aber gewöhnungsbedürftig ist sie auch. Sie glaubt eben an all den übersinnlichen Kram – genau wie Marie.
Tara ist die Regisseurin des Stücks und spielt die Elfenhauptrolle. Sie streitet sich die ganze Zeit mit ihrer ehemals besten Freundin Nikki. Irgendwas ist da, wir müssen beiden noch mehr auf den Zahn fühlen. Vielleicht haben sie doch ein Problem mit Einar und Sanna? Oder mit Jorid? Oder der Islandpferdezucht?
Unsere Ermittlungsreihenfolge:
Architekturbüro Manfred Schaper (morgen)
Erla
Tara
Nikki

»Hier ist es!« Marie deutete auf ein glänzendes Schild, das an einem bunt bemalten Haus befestigt war. »*Architekturbüro Schaper. Wir bauen. Sie wohnen.*« Um den Schriftzug herum war das Linienhaus vom Nikolaus gezeichnet.
»Gefällt mir«, meinte Kim. »Das habe ich als Kind so lange geübt, bis ich es auf alle Weisen ohne Absetzen zeichnen konnte.«
Marie drückte die Glastür auf. Sie standen in einem großen, hellen Raum, an den Wänden hingen Pläne und Fotos von Häusern, die Herr Schaper vor Kurzem gebaut hatte. Franzi blieb vor dem Foto eines dreieckigen Holzhauses stehen. »Sieht cool aus, aber ist bestimmt nicht so praktisch«, überlegte sie.
Jemand lachte. Ein Mann um die dreißig mit kahlem Kopf und roter Brille tauchte hinter der Empfangstheke auf.
»Seid ihr die drei !!!?«, fragte er. »Wir haben telefoniert.«
Franzi und Marie brachten vor Erstaunen kein Wort heraus.
»Herr Schaper?«, fragte Kim.
»Ich wollte euch nicht erschrecken. Aber mein Sekretär ist krank und ich brauche dringend ein paar Steuerunterlagen – aber ach, das interessiert euch bestimmt nicht.« Herr Schaper tauchte wieder unter die Theke. »Geht schon mal in mein Büro. Ich komme gleich nach.«

Etwas rumpelte, etwas fiel zu Boden und Herr Schaper schimpfte leise und freundlich vor sich hin.

Die drei !!! gingen durch eine weitere Glastür. In diesem Raum standen zwei große Schreibtische mit riesigen Bildschirmen. Weitere Bildschirme hingen an den Wänden, auf denen Pläne für neue Projekte zu sehen waren.

Neben dem Schreibtisch war eine Sitzgruppe mit Sesseln im 50er-Jahre-Stil. Jeder der Sessel hatte eine andere kräftige Farbe.

»Todschick«, befand Marie und setzte sich ehrfürchtig auf die Kante. »Das sind echte Designklassiker von LaKorbler.«

»Und deswegen muss man auf der Kante sitzen?«, fragte Kim lachend und ließ sich mit Schwung in den Sessel plumpsen.

»Ah, ich sehe, ihr habt es euch schon bequem gemacht.« Manfred Schaper kam mit einem Stapel Papiere herein. »Zumindest teilweise.« Er schmunzelte, als er Marie sah.

Marie lächelte betreten und rutschte zurück.

»Was kann ich für euch tun?«, fragte der Architekt. »Am Telefon wolltet ihr mit der Sprache ja nicht so richtig herausrücken.«

»Sie bauen Hestaheimur um?«, begann Franzi. »Können Sie uns darüber berichten?«

Manfred Schapers Gesicht verwandelte sich von einer Sekunde auf die andere. »Bleibt mir mit diesem isländischen Chaoshaufen vom Leibe«, brummte er. »Das ist das Allerletzte. Erst gestern musste ich mich ärgern.«

»Was ist denn passiert?«

»Wenn ich das wüsste!«, stöhnte Herr Schaper. »Ich hätte große Lust, das ganze Projekt einfach sein zu lassen. Ich bekomme ständig neue Anweisungen. Und ich weiß nicht, wer der eigentliche Bauherr oder die Bauherrin ist.«

»Welche Art von neuen Anweisungen?«, fragte Kim interessiert nach.

»Grundsätzliche, die die Form des Anbaus betreffen. Mal bespreche ich mit Herrn Haraldsson dies, dann besucht mich seine Frau und will wieder etwas ganz anderes.« Herr Schaper stöhnte, deutete auf einen der Bildschirme an der Wand und klickte die einzelnen Seiten durch. »Seht euch das an. Fünfzehn verschiedene Pläne. Die Gründe sind mir schleierhaft. Die ständigen Änderungen kosten Zeit und Geld. Und

Herr Haraldsson und seine Frau haben mich für die Planungen noch nicht bezahlt. Seit gestern bin ich mir auch nicht mehr sicher, ob ich überhaupt weitermachen darf. Oder kann. Oder will. Was auch immer. Es ist ein interessantes Projekt, aber ich muss auch meine Nerven schonen. Ich warte jetzt mal ab, rechne aber damit, dass der Umbau nicht mehr realisiert wird.«

»Wie viel Honorar steht denn aus?«, fragte Franzi nach. Sie sah, dass Kim mit dem Handy die Pläne von Hestaheimur abfotografierte.

Herr Schaper überlegte kurz. »Das kann ich so auf die Schnelle gar nicht sagen, aber ein paar tausend Euro dürften da schon zusammengekommen sein.«

»Wann waren Sie das letzte Mal auf dem Pferdehof?«, fragte Marie.

»Mmm.« Herr Schaper tippte und wischte auf dem Display seines Handys. »Vor drei Tagen. Herr Haraldsson war nicht da, aber seine Frau. Erla Gudmundsdottír.«

Die drei !!! wechselten einen Blick, sagten jedoch nichts.

»Und waren Sie an diesem Tag in der Küche?«, wollte Marie weiter wissen.

Herr Schaper nickte. »Sicher. Dort hat mir Frau Gudmundsdottír ihre neuen Wünsche erzählt.«

Stempel aus Radiergummi

Eigenes Weihnachtspapier? Weihnachtskarten selbst gestalten? Mit selbst gemachten Stempeln sind deiner Fantasie und Kreativität keine Grenzen gesetzt.

Du brauchst:
- Radiergummis aus weißem Plastik
- Obstmesser (oder Linolschnittwerkzeug)
- Bleistift
- Stempelkissen

So wird's gemacht:
Zeichne mit dem Bleistift ein Motiv deiner Wahl auf den Radiergummi. Es sollte nicht zu detailreich sein, sonst wird das Ausschneiden zu schwer. Ein Stern oder Herz eignet sich zum Beispiel prima.
Trage nun vorsichtig mit dem Messer den Radiergummi um dein Motiv herum ab. Das Motiv liegt nun höher als der Rest.
Entferne eventuelle Krümel und mache einen Probedruck.
Solltest du mit dem Ergebnis noch nicht zufrieden sein, kannst du mit dem Messer noch einmal genauer nacharbeiten.

<u>Kims Tipp:</u> Du kannst dir natürlich auch einen Detektivstempel machen. Zum Beispiel einen Haken, den du stempelst, wenn du etwas überprüft hast.

11. Dezember

Mäuseweihnacht

»Schon wieder Erla!«, stellte Kim fest. Sie mussten ein gutes Stück an der Straße entlanggehen, um zur Bushaltestelle zu kommen.

Marie nickte heftig. »Herr Schaper hat angenommen, dass Erla Einars Frau ist. Die isländischen Nachnamen werden ganz anders als in Deutschland gebildet. Sogar innerhalb der Familie heißt man anders. Der Vorname des Vaters und dann wird ein -son drangehängt, wenn es ein Junge ist. Oder eben -dottír, was ›Tochter‹ heißt, wenn es ein Mädchen ist«, erklärte sie.

»Davon habe ich auch gehört«, unterbrach Franzi. »Aber Kim hat trotzdem recht. Sanna ist doch Deutsche, schon vergessen? Und im Skript des Theaterstücks habe ich Erlas Nachnamen gelesen. Herr Schaper hatte somit mit Erla zu tun und nicht mit Sanna. Er hat sie nur für Einars Frau gehalten.« Sie schnupperte. »Oh, was riecht hier so gut?«

Marie deutete auf ein paar Buden. »Da sind die Übeltäterinnen. Auf dem kleinen Weihnachtsmarkt hier gibt es gebrannte Mandeln. Und diesem Duft kann niemand widerstehen. Ich lade euch ein!«

Es war zwar noch früher Nachmittag, aber auf dem kleinen Platz war schon einiges los. Die immergrünen Hecken, die um einen Brunnen gepflanzt waren, waren mit Strohsternen und vielen kleinen weißen Lichtern geschmückt. Neben einer Waffelbäckerei war aus einigen Holzpaletten eine Bühne gebaut worden. Kindergartenkinder wuselten aufgeregt darum herum. Ein Mädchen im weißen Engelskostüm hielt eisern ein Schild nach oben, auf dem »Kindergarten Mäusebau« stand. Die Erzieherin lächelte die drei !!! an und sagte zu dem kleinen Engel: »Mila, es dauert noch ein bisschen. Du kannst mir das Schild solange geben.«

Engel Mila aber schüttelte nur den Kopf und hielt das Schild noch höher. Marie kaufte drei Tüten gebrannte Mandeln an der Süßigkeitenbude, die über und über mit Kunstschnee bedeckt war. Auf dem Dach stand ein Weihnachtsmann, der ein Rentier streichelte.

Von überallher dudelte Weihnachtsmusik und Franzi konnte nicht anders, als mitzusummen.

»Die Kindergartenkinder sind ja süß«, fand Kim und biss knackend in eine Mandel.

»Und so aufgeregt, dass sie nicht mehr wissen, wie sie heißen, was sie hier eigentlich machen und wie man singt«, kicherte Marie.

Mittlerweile hatten sich viele Menschen vor der Bühne versammelt. Sie wirkten ebenfalls aufgeregt. Offensichtlich die Eltern der Mäusebau-Kinder.

Die Erzieherin ergriff das Mikrofon. »Und jetzt begrüßen wir Sie zu unserer Mäuseweihnacht. Die kleinste Maus aus dem Mäusebau beginnt.«

Ein winziger Junge im Mäusekostüm trat nach vorne. Er hielt einen Stern hoch und sagte: »Wo wir dieses Kind sehen, da finden wir den Stern!«

Das Mäusekind daneben stieß ihn an. »Umgekehrt!«, rief es. »Du Dummi!«

Der Kleine sah verwirrt aus und blickte Hilfe suchend zur Erzieherin. »Noch mal, du kannst das!«, machte sie ihm Mut.

»Wo wir diesen Stern sehen, da finden wir das Kind!«, sagte er. Alle applaudierten. Der kleine Mäuserich lachte erleichtert. Alle begannen, *Stern über Bethlehem* zu singen.

Die drei !!! stellten sich ein wenig abseits und knabberten weiter an den Mandeln.

»Darf ich die Pläne von Herrn Schaper mal sehen, Kim?«, fragte Marie.

Kim öffnete die Fotogalerie und reichte Marie das Telefon.

»Ich kann seinen Unmut verstehen«, meinte Franzi. »Offensichtlich hat sich Erla ganz schön eingemischt.«

»Nicht zu knapp«, bestätigte Marie. »Laut den Plänen hat sie schon drei Mal alles wieder über den Haufen geworfen und wollte, dass der Anbau in anderer Form an einer anderen Stelle gebaut wird. Herr Schaper hat sich Gesprächsnotizen gemacht.« Sie zog eines der Fotos größer. »Und jetzt wird es besonders interessant. Seht euch mal die Kostenvoranschläge an. Die werden immer höher. Bei jeder neuen Anfrage von Erla!«

»Und die Form des Anbaus ändert sich wirklich ständig. Warum?«, fügte Franzi an.

»Zwei Fragen ploppen bei mir auf: Warum lassen Einar und Sanna es zu, dass Erla sich einmischt? Und warum will sie überhaupt dauernd etwas ändern?«, überlegte Kim.

»Ganz einfach. Erla hat sich mit Sanna verbündet. Deswegen hat Erla auch Streit mit Einar.« Franzi zerknüllte die leere Papiertüte. »Wir haben mitbekommen, dass sie sich wegen der Elfen streiten. Sanna ist da auf Erlas Seite und Einar hält das alles für Quatsch.«

»Du meinst, die ständig neuen Anfragen könnten etwas mit den Elfen zu tun haben?« Kim sah Franzi fragend an.

Die zuckte mit den Schultern. »Warum nicht. Vielleicht wollen die Elfen einziehen und brauchen mehr Platz. Oder eine eigene Ecke mit Spielplatz oder so.« Sie grinste.

»Ja, das könnte dahinterstecken! Kim darf ich mal ins Netz?«, bat Marie. Kim nickte.

»Da steht es: *In Island wurden schon Straßen anders gelegt, weil angenommen wurde, dass die Elfen dort wohnen und böse auf die Menschen wären, wenn ihr Lebensraum zerstört würde.*« Marie sah Kim an.

Kim schüttelte den Kopf. »Und du meinst, Erla hört sich immer die neuesten Wünsche der Elfen an? Erzählt sie Sanna und alles muss umgeplant werden?«

»Es könnte sein, dass du recht hast. Aber wir dürfen nicht vergessen: Das Geld wurde gestohlen. Was will Erla denn mit dem Geld? Den Umbau nach Elfenwünschen finanzieren? Das würde Einar merken. Und sie hat sowieso schon so viel Einfluss auf Sanna. Eigentlich hat sie es gar nicht nötig.«

»Lasst uns mal überlegen: Wer hätte etwas von dem Geld?« Kim steckte ihr Telefon wieder ein.

»Herr Schaper?«, meinte Marie. »Er hätte sein Honorar und Rache.«

»Möglich. Immerhin war er in der Küche und er hat allen Grund, sauer auf seine Kunden zu sein. Ich notiere mir das mal«, antwortete Kim und zog ihr Detektivnotizheft aus der Tasche.

»Die freundliche Maske kann nur Fassade gewesen sein.«

»Nikki?«, überlegte Franzi weiter.

»Hä?«, machte Marie. »Wie kommt ihr denn auf Nikki? Nur weil sie sich nicht von ihrer sympathischsten Seite zeigt, wenn sie sich immer mit Tara zofft?«

»Nein, weil sie offensichtlich Geldprobleme hatte und die Kaution für ihre Wohnung nicht zahlen konnte«, erklärte Kim und erzählte Marie von dem Gespräch, das Franzi und sie zwischen Nellie und Nikki mitbekommen hatten.

»Dann würde ich sagen, wir schreiben sie ganz oben auf die Verdächtigenliste«, meinte Marie. »Und ihr bekommt drei Strafpunkte, weil ihr mir nichts davon erzählt habt.«

»War keine Absicht, ich dachte, du hättest es mitbekommen«, sagte Kim entschuldigend. »Und erst habe ich dem auch gar nicht so viel Bedeutung beigemessen. Aber klar! Es ist extrem merkwürdig, dass Nikki von heute auf morgen keine Geldsorgen mehr hat. Und das zu dem Zeitpunkt, an dem die zweihunderttausend Euro verschwinden. Nur: Was gegen Nikki und Herrn Schaper spricht: Wir haben keine Fingerabdrücke von ihnen gefunden.«

»Hallo? Handschuhe? Wie lange bist du schon Detektivin?«, kicherte Franzi. »Zweite durchaus plausible Erklärung: Wir sind auch nicht fehlerfrei. Möglicherweise haben wir einen Fleck bei der Sicherung übersehen? Und genau an diesem Fleck hatten Nikki oder Herr Schaper ihre Finger?« Franzi zog sich den Schal fester um den Hals. »Jetzt wird es mir aber doch ziemlich kalt. Hoffentlich kommt der Bus bald.«

Sie sah Marie an, die schicke Stiefel trug, die aber nicht besonders winterfest zu sein schienen. Außerdem hatte sie statt eines Schals ein dünnes Tuch mit Silberfäden um den Hals geschlungen. »Du siehst wie immer himmlisch aus, aber ist dir nicht auch kalt?«, fragte sie besorgt. Marie schüttelte den Kopf. »Wer schön sein will, muss nicht immer leiden. Er muss sich nur zu helfen wissen.« Sie grinste. »Thermosohlen und Unterwäsche aus Wolle sind mein wärmendes Geheimnis.«

»Klingt kuschelig«, antwortete Franzi. »Dann bin ich beruhigt.« Ihr Blick fiel auf Kim, die fröstelnd von einem Fuß auf den anderen trat und in ihr Handy starrte. »Kim?«

»Was? Ja?«, antwortete Kim gedankenverloren. Sie hatte erneut die Fotogalerie ihres Handys geöffnet. »Hier und hier«, murmelte sie. »Das ist die gleiche Stelle. Meint ihr, das hängt zusammen?«

Sie hielt Franzi und Marie das Display hin und wischte zwischen zwei Fotos hin und her.

»Bitte mehr Infos«, bat Franzi. »Ich verstehe nur Pferdeapfel.«

Gebrannte Mandeln mit Zimt und Kardamom

Diese Superleckerei bekommt man nur auf dem Weihnachtsmarkt? Von wegen! Gebrannte Mandeln selbst machen geht leicht, du brauchst nur ein wenig Geduld.

Du brauchst:
- 200 g Mandeln mit Haut
- 200 g Zucker
- 100 ml Wasser
- ½ TL Zimt
- 2 Messerspitzen Kardamom

So wird's gemacht:
Gib das Wasser, den Zucker, Zimt und Kardamom in eine beschichtete Pfanne. Koche die Masse auf, bis sich der Zucker gelöst hat.
Gib die Mandeln dazu und verringere auf mittlere Hitze. Nun musst du lange rühren, bis der Zucker geschmolzen ist. (Das dauert! Zuerst bilden sich wieder Zuckerkristalle, dann schmilzt der Zucker.)
Wenn die Mandeln mit einer schönen braunen Zuckerschicht überzogen sind, schütte sie auf ein Backpapier. Vorsicht, der Zucker ist sehr, sehr heiß! Trenne die Mandeln mithilfe eines Kochlöffels und lasse sie auskühlen.

Franzis Tipp: Probiere auch andere Gewürze. Gut schmeckt ein Hauch Nelke oder Vanille.
Besonders lecker sind Tonkabohnen. Sie schmecken süß und blumig.

12. Dezember

Elfensteine und E-Pferdestärken

»Tinka, halt!« Franzi konnte ihre Rappstute kaum kontrollieren. »Ja, wir gehen zu Blossi und den anderen. Aber du rennst so schnell, dass ich fast runterfalle!«
Der Tag war milder und der Schnee war beinahe verschwunden. Franzi und Kim, die auf die gleiche Schule gingen, hatten den ganzen Vormittag im Unterricht auf die Probe hingefiebert.
Kim hatte ihre Mutter gebeten, sie nach Hestaheimur zu fahren, und Marie wollte den Bus nehmen.
Franzi blickte auf die Uhr. »Ruhig, meine Schwarze, es ist noch zu früh. Wir treffen uns erst in einer Viertelstunde. Es gibt keinen Grund zur Eile!«
Tinka schnaubte und warf ihren Kopf in Richtung Hestaheimur. »Ach so, klar!« Franzi lachte. »Du willst vor der Probe noch mit deinen neuen Freunden spielen? Das verstehe ich.« Sie galoppierte an und spürte, wie Tinka sich freute. Als die Koppel mit den Islandpferden in Sicht kam, legte Tinka noch einen Zahn zu.
Als sie ankamen, ließ Franzi sich aus dem Sattel gleiten und öffnete das Koppeltor. Tinka stupste sie mit der Schnauze an und lief auf die Koppel. Ihre Mähne wehte und sie schnaubte. Dann blieb sie stehen und sah sich suchend um.
Franzi musste lachen. »Na, kannst du Blossi nicht finden?«
Tinka wandte sich zu ihr um und schüttelte den Kopf, als hätte sie Franzis Frage verstanden.
Mysla und Ástra trabten heran. »Na, ihr beiden?«, fragte Franzi und zog ein Stück trockenes Brot aus der Jackentasche. Sie brach es in der Mitte auseinander und hielt es den beiden Islandpferden auf der flachen Hand hin. Mit einem Happs knurpsten sie es weg. Dann legten sie sich gegenseitig die Köpfe an die Hälse und kuschelten. Franzi streichelte Myslas weiche Nüstern. »Habt ihr Blossi gesehen? Tinka sucht nach ihm.«
Mysla und Ástra sahen Franzi mit dunklen Augen an, gaben aber keine Antwort.

»Hallo!« Marie winkte Franzi zu. Sie stand neben Kim an der Ecke des Außenstalls, in dem die anderen Isländer von Hestaheimur das Heu knabberten, das Jorid ihnen eben in die Futterraufe getan hatte.
Franzi lief an der Koppel entlang auf ihre Freundinnen zu. »Zum Glück habe ich euch«, rief sie. »Tinka, die treulose Tomate, wollte nur zu ihren neuen Freunden.«
»Eifersüchtig?« Marie zwinkerte Franzi zu. »Das ist doch sonst meine Aufgabe.«
»Na ja, nicht wirklich«, meinte Franzi. »Außerdem haben wir vor der Probe ja noch wichtige Detektivarbeit vor. Wart ihr schon hinter dem Haus?«
»Als würden wir ohne dich anfangen …«, Kim grinste, »Aber jetzt bist du ja da. Los geht's.«

Kim hatte sowohl das Bild des Plans als auch das Foto von Hestaheimur ausgedruckt und gab Franzi den Plan in die Hand.
Franzi betrachtete ihn. Herr Schaper hatte darauf einen außergewöhnlichen Anbau entworfen. Einen Anbau, der sich um etwas zu schmiegen schien, da die Seitenwand eine geschwungene Einbuchtung aufwies.
Sie liefen am Außenstall vorbei und kamen an der Rückseite des Hauses an. Kim betrachtete ihr Foto. »Hier ist die Rückseite der Küche. Und hier: genau!« Sie zeigte auf etwas Graues im Boden. »Hier ist das rätselhafte Ding, das auf allen geänderten Plänen von Herrn Schaper eingezeichnet ist.«
»Das ist nur ein großer Felsen«, meinte Marie enttäuscht. »Und man sieht ihn kaum, weil er im Boden eingelassen ist.«
»Das muss der Stein des Anstoßes sein«, meinte Kim und kicherte.
»Witzig, witzig.«, meinte Franzi, musste jedoch selbst lachen.
»Es ergibt auch Sinn«, meinte Marie. »Erinnert ihr euch noch an den Artikel, den ich euch vorgelesen habe? Die isländische Straße, die anders gebaut werden musste, weil die Elfen bei einem Felsen gewohnt haben? Erla war die isländische Elfenbeauftragte. Sie behauptet, dass es in Deutschland auch Elfen gibt. Und sie warnt Einar davor, sich mit dem Verborgenen Volk anzulegen. Gleichzeitig macht sie den Architekten wahnsinnig, weil sie immer neue Wünsche hat.«

Kim schlug sich an die Stirn. »Na klar! Erla und Sanna gehen davon aus, dass dieser Felsen von Elfen bewohnt wird. Und da Erla angeblich ständig mit ihnen im Austausch ist, gibt es auch immer wieder neue Wünsche. Du hast vollkommen recht, Marie!«

»Dann bitte vorsichtig und nicht den Felsen betreten«, meinte Franzi. »Ich will keiner Elfe auf den Fuß trampeln.«

Franzi bückte sich und strich mit der Hand über die raue Oberfläche des Steins. Ziemlich ungemütlicher Ort, um dort zu wohnen.

MÖÖÖÖÖÖÖP!

Franzi fuhr erschrocken zusammen. Ein glänzend rotes, neues Auto raste auf den Hinterhof, hupte und hielt mit einem Ruck an.

Wo war das denn so plötzlich hergekommen?

Kim und Marie hatten sich auch erschreckt. »An Elektroautos und ihr geräuschloses Heranrasen muss ich mich echt noch gewöhnen«, schimpfte Kim.

»Gerade wenn der Motor Ruhe gibt, sollte man vorsichtig fahren und nicht so herumhupen«, machte Marie mit der Schimpftirade weiter. »Wer macht denn so was? Nee, das glaub ich jetzt nicht! Das ist Erla!«

»Die Elfenfamilie auf Hestaheimur ist offensichtlich nicht geräuschempfindlich.« Franzi warf Erla einen grimmigen Blick zu. »Aber die Isis sind es auf jeden Fall. Und als Trainerin sollte sie ihr Wohl im Auge haben.«

Erla stieg aus dem Wagen und drückte einen Knopf am Autoschlüssel. Mit einem leisen Knacken sprang der Kofferraumdeckel auf. Sie winkte den drei !!!.

»Gut, dass ihr schon da seid. Ich habe gerade mein neues Elektroauto vom Händler geholt. Ich kenne mich noch nicht so aus. Entschuldigt, wenn ich euch erschreckt habe«, meinte Erla und zuckte mit den Achseln. »Es hat ganz schön viel PS und die Hupe ist auch lauter, als ich dachte.« Sie lächelte so charmant, dass Franzi ihr sofort verzieh.

»Ein neues E-Auto«, hakte Kim nach. »Ist das nicht ganz schön teuer?«

»Sehr, das stimmt«, bestätigte Erla. »Aber auch super umweltfreundlich. Das habe ich mir schon immer gewünscht. Und die *Türkise Lagune* – ein Thermalbad auf Island – ist großzügig und bezahlt mich hiermit. Sie sind so dankbar, weil ich über Video mit den Elfen, die auf dem Grundstück leben, spreche und alle somit friedlich zusammenleben können.«

»Du bekommst dafür ein neues E-Auto?«, fragte Marie verwundert. »Vielleicht sollte ich meinen Berufsorientierung in Richtung Elfen ausdehnen.«

»Island ist ein kleines Land und die *Türkise Lagune* eine der größten Touristenattraktionen. Aber nicht nur. Auch die Isländer baden dort sehr gerne. Trotzdem hat es mich auch gewundert, wie viel ihnen die weitere Zusammenarbeit mit mir wert ist.«

Franzi sah Erla weiter ungläubig an. Konnte das sein? Was kostete ein neues E-Auto?

40.000 €? Oder mehr?

»Vielleicht habt ihr ja mal Lust auf eine geräuschlose Spritztour?«, fragte Erla und drückte erneut auf dem Autoschlüssel herum. »Dann sagt Bescheid.« Der Kofferraum schloss sich langsam wie von Geisterhand. »Wenn ich bis dahin entspannt fahren kann.«

»Ja«, antwortete Marie nicht wirklich begeistert. »Vielleicht. Jetzt ist aber Probe, richtig?«

Erla nickte. »Ich ziehe mich noch warm an und dann komme ich. Schließlich muss ich den Pferden von meinem neuen Auto erzählen und mich für den Krach vorhin entschuldigen.«

Kim ging mit Erla ins Haus, um ihr Elfenkostüm anzuziehen. Franzi und Marie holten Mysla und Ástra von der Koppel in die Stallgasse, putzten sie und trensten sie auf.

Kim brachte ihnen die Kostüme in die Sattelkammer und Kleidungsstück für Kleidungstück verwandelten sich Franzi und Marie ebenfalls in Elfen. Dort war es schummrig. Nur eine Sternen-Lichterkette spendete gemütliches Licht.

Plötzlich gellte ein Schrei über Hestaheimur.

»Blossi ist weg!«

Türkise-Lagune-Badebombe

Diese Badebomben sind schnell hergestellt und ein super Last-Minute-Geschenk.

Du brauchst:
- 200 g Natron (in der Backabteilung oder im Drogeriemarkt)
- 100 g Zitronensäure (Drogeriemarkt)
- 30 ml Pflanzenöl z. B. Olivenöl
- 50 g Speisestärke
- 5–7 Tropfen ätherisches Öl (z. B. Zitrone oder Orange)
- 1 TL blaue Lebensmittelfarbe

So wird's gemacht:
Vermenge Natron und Stärke in einer Schüssel. Nun gibst du das Pflanzenöl das ätherische Öl und das Wasser dazu. Verknete alles mit den Händen zu einem Teig. Zum Schluss fügst du die Zitronensäure und die blaue Farbe hinzu und knetest alles nochmals gut durch. Forme mit den Händen Kugeln und lasse die Badebomben trocknen.

<u>Maries Tipp:</u> Du kannst auch mehrfarbige Kugeln machen. Trenne die Masse in kleine Teile und gib verschiedene Farben hinein. Vermenge die Massen, sodass eine schöne Maserung entsteht.

13. Dezember

Einar packt aus

»Das ist Erla!« Kim schnappte sich die Elfenflügel und rannte nach draußen. »Und sie ist völlig durch den Wind!«
»Mist«, sagte Franzi. »Das könnte wirklich sein. Blossi habe ich vorhin auch nicht gesehen. Ich dachte, er ist irgendwo im Offenstall. Das ist eine Katastrophe.«
»Ganz ruhig, ein Pferd kann doch nicht einfach so verschwinden«, meinte Marie, ging zu Ástra, band sie los und führte sie in aller Seelenruhe aus der Stallgasse nach draußen. »Den finden wir schon wieder.«
»Ja, genau. Überhaupt kein Problem. Erla kann Blossis Gedanken lesen. Magie, Magie, ihr erinnert euch. Es wird also ein Kinderspiel, ihn wiederzufinden«, sagte Franzi grimmig. »Die arme Tinka! Sie wird Blossi so sehr vermissen.«

Draußen wuselten alle aufgeregt durcheinander. Immer wieder rief jemand nach Blossi und die Ersten schwärmten schon in den angrenzenden Wald aus, um den schwarzen Islandhengst zu suchen. Und zwar in ihren Troll- und Elfenkostümen. Das Ganze wirkte wie eine Szene aus einem Fantasyfilm.
Franzi suchte mit den Augen das Gelände ab. Einige Birnen einer Lichterkette aus glitzernden Eiszapfen blitzten nur noch ab und zu auf. Das sah unheimlich aus. Unheimlich und Unheil bringend. Ob sie Blossi wohl wiederfinden würden? Es war ihm doch hoffentlich nichts passiert? Im gleichen Moment ärgerte sie sich über ihren Gedanken. Sie war Detektivin. Sie musste die Fakten in Auge behalten und durfte sich nicht von ihren Gefühlen leiten lassen. Die Lichterkette hatte einen Wackelkontakt! Ein freches und lebhaftes Pferd war ausgebüxt und sie würden es wiederfinden. Alles würde sich lösen, wenn man es unter dem Blickwinkel der Vernunft betrachtete.
»Kann es denn nicht einmal eine Probe geben, die ohne Schwierigkeiten stattfindet?« Jorid war neben die drei !!! gerollt und ihre Stimme klang sehr müde. »Wenn Blossi weg ist, können wir das Theaterstück vergessen. Und sowieso alles. Er ist unser Zuchthengst. Wie soll eine Pferdezucht ohne einen Zuchthengst überleben?«

»Das tut mir so leid für euch«, sagte Franzi und legte die Hand auf Jorids Schulter. »Das Pech scheint bei euch eingezogen zu sein. Kann Blossi über das Gatter springen?«

Jorid schüttelte den Kopf und seufzte. »Nein. Und das Tor ist auch nicht offen gewesen. Eigentlich kann er nicht ausgebüxt sein. Vielleicht sind die bösen isländischen Weihnachtstrolle am Werk. Sie machen nicht mehr die Milch sauer wie früher, sondern klauen Pferde!« Sie verstummte eine Weile und blickte traurig auf die Decke, die sie zum Wärmen auf den Schoß gelegt hatte.

»Du vermutest also, dass Blossi von der Koppel gestohlen worden ist? Würde er denn einfach mit einer fremden Person mitgehen?«, fragte Kim.

Jorid blickte zu den drei !!! auf. »Und genau hier wird es mega merkwürdig. Wäre irgendjemand auf die Koppel gegangen und hätte Blossi gemopst, hätte er sich bestimmt dagegen gesträubt. Und die anderen Pferde wären nervös geworden. Aber die sind völlig entspannt und ruhig.«

»Und daraus kann man schließen, dass es eine für die Pferde vertraute Person war, die Blossi gestohlen hat«, schlussfolgerte Franzi. »Ganz klar!«

»Also bringt das Im-Wald-Gesuche gar nichts?«, fragte Kim. »Für mich steht fest, dass wir es mit einem Diebstahl zu tun haben.« Jorid rollte auf Sanna und Einar zu, die gerade aus dem Haus kamen. Einar telefonierte und Sanna hatte zwei Taschenlampen in der Hand.

»Ich kann nicht mehr«, sagte Sanna leise. »Und jetzt auch noch Helga!«

Die drei !!! sahen einander verständnislos an. Wer war nun gleich wieder Helga?

»Was ist mit Helga?«, fragte Jorid ihre Mutter. »Das ist meine Tante«, wandte sie sich erklärend an die drei !!!. »Die Schwester meines Vaters. Wir haben die Pferdezucht auf Island zusammen betrieben. Sie wollte nicht nach Deutschland ziehen und ist mit der Hälfte unserer Pferde auf Island geblieben.«

»Es läuft allerdings nicht mehr gut, seit Einar und ich ausgestiegen sind«, erzählte Sanna. »Helga wirft uns nun vor, sie ruiniert zu haben, indem wir Blossi mitgenommen haben. Sie hätte im letzten halben

Jahr kaum Zuchterfolge gehabt und auch nur wenige Anfragen. Jetzt sagt sie, dass es nie richtig ausgemacht war, wer Blossi bekommt. Sie behauptet, Einar und ich hätten sie bestohlen.« Sanna begann zu weinen. »Das macht mich so traurig. Ich hatte immer ein gutes Verhältnis zu Helga. Sie klingt so wütend und verbittert.«

»Mama, das ist ja furchtbar.« Jorid fasste nach der Hand ihrer Mutter. Einar war inzwischen zu ihnen gekommen und nahm seine Frau in den Arm. Doch die löste sich sofort aus seinem Griff. »Kannst du mir noch einmal *genau* sagen, was du mit Helga abgemacht hattest?«, fragte sie misstrauisch. »Warum ist Helga so enttäuscht?«

Einar blickte zu Boden. Leise gestand er: »Ich hatte mit Helga vereinbart, dass ich einen Zuchthengst mitnehmen darf. Natürlich wusste ich, dass sie Blossi besonders gerne mag. Sie ist davon ausgegangen, dass er für mich deswegen nicht infrage kommt.«

»Papa!«, rief Jorid empört. »Und ich dachte, ihr hättet darüber gesprochen. Ich habe mich zwar gewundert, dass Tante Helga dich Blossi hat mitnehmen lassen, aber ich wusste nicht, dass du es heimlich getan hast. Das ist nicht in Ordnung! Du hast es ausgenutzt, dass sie verreist war, als wir die Pferde ausgeflogen haben. Das ist richtig gemein. Und sie hat die ganze Zeit nichts gesagt?«

»Zu mir schon ... Aber meine Reue hätte ihr nichts genützt. Blossi muss jetzt in Deutschland bleiben«, sagte Einar. »Das weißt du.«

»Warum denn das?«, fragte Kim erstaunt.

»Ein Islandpferd, das exportiert worden ist, darf nie mehr nach Island. Es könnte Krankheiten einschleppen«, erklärte Franzi. »So ist das Gesetz.«

»Franzi hat recht«, meinte Einar zerknirscht. »Ich wusste, dass ich ihn für immer mitnehme. Aber ich konnte mir nicht vorstellen, hier in Deutschland ohne ihn erfolgreich zu sein. Allerdings hatte ich die ganze Zeit ein schlechtes Gewissen. Und es geschieht mir recht, dass er jetzt verschwunden ist. Wir können einpacken. Ganz Hestaheimur dichtmachen. Das Pferd ist weg und unser ganzes Geld. Vielleicht hat Erla recht. Die Elfen haben mich verflucht.«

Jorid sah ihren Vater enttäuscht an.

»Einar, das hast du mir ganz anders erklärt.« Auch Sanna bebte vor Wut. »Ich weiß nicht, ob ich heute oder in näherer Zukunft mit dir sprechen möchte.« Sie drehte sich um, blickte in Richtung Waldsaum und verschränkte die Arme.

Nach und nach trudelten alle Elfen und Trolle wieder auf Hestaheimur ein. Allerdings ohne Blossi. Mutlos setzten sie sich auf die halbrunde Holztribüne, die bereits für die Vorstellungen gebaut worden war.
Jorid rollte zu ihnen. »Es tut mir leid«, meinte sie. »Ihr wisst, was passiert ist. Wir haben kein Geld mehr, und jetzt auch noch unsere tierische Hauptrolle verloren. Es ergibt keinen Sinn, weiter zu proben. Zumindest für heute nicht. Ich werde mich mit Tara und Erla zusammensetzen und überlegen, wie und ob wir das Stück retten können.«
»Nicht aufgeben!«, rief ein Trollmädchen und schwenkte die Keule, die sie aus der Gürtelschlaufe genommen hatte. »Das wird schon. Blossi kommt zurück.«
Jorid nickte tapfer. »Wir sehen uns morgen. Aber bitte versteht, dass ich die jüngsten Ereignisse erst einmal verdauen muss.«
Die Darsteller und Darstellerinnen nickten verständnisvoll. Eine Elfe holte Becher und eine Thermoskanne aus dem Rucksack und verteilte heißen Tee.
Marie stieß Kim und Franzi an. »Nikki und Tara sitzen bei den anderen. Lasst uns die allgemeine Verwirrung für weitere gezielte Ermittlungen nutzen.«

Wärmender Tannenbaumpunsch

Mit einer dicken Jacke, puscheligen Handschuhen und diesem Punsch in der Thermoskanne, wirst du jedes Winter-Picknick warm überstehen.

Du brauchst:
- 1 Liter Früchtetee deiner Wahl
- ½ Liter Traubensaft
- ½ Liter Apfelsaft
- ½ Liter Orangensaft
- 1 TL Zimt
- ½ TL gemahlene Nelken
- Zucker

So wird's gemacht:
Nimm einen großen Topf und koche zuerst den Tee. Dann gib die Fruchtsäfte und Gewürze dazu und lasse alles noch einmal aufkochen. Süße nach Bedarf.

Franzis Tipp: Nimm anstatt Früchtetee Chai-Tee. So bekommst du eine ganz besonders würzige und leicht pfeffrige Note!

14. Dezember

Klare Sicht

Kim und Franzi verstanden Maries Blick sofort. Die Spinde in der Sattelkammer! Vielleicht konnten sie etwas über den Streit zwischen Nikki und Tara oder sogar über Nikkis plötzlichen Geldsegen herausbekommen?

Jorid war nicht mehr zu sehen. Offensichtlich hatte sie sich zurückgezogen. Niemand bemerkte, wie Kim, Franzi und Marie sich in Richtung Offenstall und Sattelkammer bewegten.

Drinnen war es warm und es roch nach Leder und Heu. Und überall lag der würzige Geruch von Pferden in der Luft. Über der Tür zur Sattelkammer hatte jemand einen geschweiften Stern aus Goldfolie aufgehängt. Er stammte aus einer Schokoladenpackung.

Kim leckte sich die Lippen. »Hoffentlich habe ich heute auch Schokolade in meinem Adventskalender!«

»Erst die Arbeit, dann das Vergnügen«, witzelte Franzi.

»Wie? Ich dachte, für Kim ist die Detektivarbeit das reinste Vergnügen.« Marie zwinkerte Kim zu. »Aber nee, ach, da war doch noch was, was Kim noch viel lieber hat. Mal überlegen: Mmm.«

»ESSEN!«, rief Kim und musste laut lachen. »Jaja, ich weiß. Und damit Schluss jetzt!«

Franzi deutete auf eine blaue abgesteppte Winterjacke. »Die gehört Nikki«, meinte sie und hob sie auf. Dann griff sie in die Taschen und verzog das Gesicht. »Gebrauchte Taschentücher«, sagte sie. »Eklig.«

WUSCH! Ein dicker Ordner, der unter der Jacke gelegen hatte, fiel herunter. Direkt auf Kims Fuß. »Aua! Zum Glück sind meine Elfenstiefel so dick gefüttert, sonst hätte ich jetzt einen blauen Zeh.« Sie hob das schwere Ding auf. Ein großes rotes Herz prangte auf dem Deckel. In dem Herz die Initialen: B+N. Darunter stand in verschnörkelter Schrift: FOREVER.

Neugierig wollte Kim den Ordner aufklappen. Konnte sie aber nicht. Ein Vorhängeschloss verhinderte es. »Marie, das ist ein Fall für dich!«, sagte sie und reichte ihr den Ordner.

Marie holte ihr Dietrichset aus dem Rucksack und besah sich das Schloss genauer.

»Meinst du, der Ordner ist überhaupt von Nikki?«, fragte sie.
»Ist doch egal, werden wir gleich herausfinden«, meinte Kim ungeduldig.
Marie holte sich das passende Werkzeug und stocherte vorsichtig und konzentriert im Schloss herum. Kim und Franzi sahen ihr ebenfalls konzentriert zu. Die Luft schien vor Spannung zu surren. Franzi merkte, wie sich jeder Muskel in ihrem Körper anspannte. Nach einigen Augenblicken war ein leises KLICK! zu hören und der Bügel des Vorhängeschlosses sprang auf. Der Ordner war proppenvoll mit selbstgemalten Bildern, Tagebucheinträgen und Fotos. Jedes Blatt steckte in einer Klarsichtfolie.
»Das nenn ich ordentlich«, raunte Marie, als sie durch die vielen Folien blätterte. »Jeder Schnipsel ist fein säuberlich eingeklebt und extra eingeheftet.«
»Bisschen gruselig«, stimmte Franzi ihr zu. »Und einfach zu viel Plastik. Da lob ich mir Maries kunstvolle Scrapbooks. Das ist nur viel schönes Papier. Sogar die Klebefilme sind aus Papier.«
Sie blätterten den Ordner durch. »Seht euch das an. Es ist eindeutig. ›B‹ muss für Blossi stehen. Nur Bilder von Nikki und Blossi. Wenn die beiden sich so gut verstehen, warum reitet ihn jetzt Tara? Möglicherweise liegt darin das Problem zwischen Tara und Nikki?«
»Das muss ein größeres sein.« Marie deutete auf ein Foto, auf dem Tara und Nikki Blossi von beiden Seiten umarmten. Ein schönes Bild, wäre da nicht ein großes schwarzes Kreuz über Taras Gesicht zu sehen gewesen. »Nikki hasst Tara richtig. Wir müssen herausbekommen, was vorgefallen ist.«
»Mir kommt ein Gedanke«, meinte Kim. »Fandet ihr auch, dass Nikki vorhin nicht besonders besorgt wegen Blossi gewesen ist? Sie war erstaunlich ruhig dafür, dass ihr allerliebstes Lieblingspferd gerade von der Koppel verschwunden ist.«
Franzi und Marie schüttelten die Köpfe. »Nein, ist mir nicht aufgefallen. Aber ich habe auch nicht auf Nikki geachtet«, gab Franzi zu.
»Du vermutest also, dass Nikki hinter Blossis Verschwinden steckt?« Marie legte den Ordner zur Seite. »Das ergäbe Sinn. Blossi kennt Nikki gut, er würde mit ihr gehen und die anderen Pferde würden sich nicht wundern.«

»Es gibt auch Fakten, die dagegensprechen«, räumte Kim ein.

»Wo könnte Nikki Blossi verstecken? Im Wald? In ihrer neuen Wohnung, für die sie bis gestern noch nicht einmal die Kaution bezahlen konnte? Und was verspricht sie sich davon? Mal angenommen, sie hat das Geld gestohlen und Blossi entführt. Dann kann sie zwar die Kaution stellen, aber das Theaterstück würde nicht stattfinden. Da schneidet sie sich doch ins eigene Fleisch.«

»Stimmt, das passt nicht zusammen. Gehen wir mal die anderen Verdächtigen durch. Und nehmen wir mal an, dass die beiden Fälle überhaupt zusammenhängen. Der Vollständigkeit halber: Einar und Sanna? Die beiden haben keinen Nutzen von den Vorkommnissen, sondern nur Schaden. Jorid? Genauso. Herr Schaper? Der kann nur mit dem Gelddiebstahl zu tun gehabt haben. Er war nicht mal in der Nähe.« Marie ordnete ihr Dietrichset und verstaute es in ihrem Rucksack.

»Das wissen wir nicht genau. Herr Schaper könnte es schon gewesen sein. Wenn schon Zerstörung, dann total«, wandte Franzi ein. »Trotzdem passt Blossi nicht in sein schickes Architekturbüro.« Franzi musste bei der Vorstellung, wie Herr Schaper Pferdeäpfel von den Designersesseln kratzte, lachen.

»Und Erla? Was hätte sie davon, Blossi zu stehlen?« Marie sah Kim und Franzi neugierig an.

»Sie könnte allen noch mehr Angst machen, dass die Elfen dahinterstecken. Vor allem Einar hat sie dann in der Hand. Und sie kennt sich im Wald und auf dem Hof gut aus. Schon möglich, dass sie es schafft, Blossi eine Weile zu verstecken, um alle zu erschrecken«, meinte Kim und zog sich langsam das Elfenkostüm aus. »Es kann kein Zufall sein, dass auf Hestaheimur das Geld verschwindet und sie am nächsten Tag mit einem nigelnagelneuen Auto vorfährt. Und die Geschichte mit dem isländischen Thermalbad? Glaubt ihr das?«

»Ich habe mal einen Bericht über Island gesehen. Da wurde die *Türkise Lagune* vorgestellt. Ist beeindruckend, aber ich kann mir auch nicht vorstellen, dass sie so viel Geld lockermachen. Für ein bisschen Elfen-Talk.« Franzi holte ihr Handy heraus. »Wartet, das haben wir gleich! Ich habe eine Idee!« Sie tippte schnell und wenige Augenblicke später zeigte sie Marie und Kim eine Mailadresse. »Habe ich gerade eingerichtet. elfsecets@erla.com. Eine Mailadresse, die durchaus Erlas sein könnte. Falls das Thermalbad mit Erla geschäftliche Beziehungen hat, wird es hoffentlich nicht merken, dass die Mailadresse neu ist. Und jetzt brauchen wir Jorid und ihr Isländisch.«

»Klar!« Jorids Augen strahlten. »Das ist eine sehr gute Idee. Genau nach meinem Geschmack. Und vielleicht kann die Information dieses schreckliche Durcheinander ein wenig entwirren. Danke übrigens, dass ihr uns helft«, meinte sie. »Was soll ich schreiben?«
»Bitte bedanke dich für das Auto und ihre Großzügigkeit. Und dann schreibst du, dass es toll wäre, das Auto noch mit einer Sitzheizung nachzurüsten. Die Winter in Deutschland wären doch kälter als erwartet. Und dass du gerne bereit bist, weiterhin mit allen Elfen zu kommunizieren, wenn es sein muss, auch über SMS. Hochachtungsvoll, Erla Gudmundsdottír, Elfenflüsterin.«
Jorid kicherte und schrieb und kicherte wieder. »Das mit der Elfenflüsterin lasse ich mal lieber weg!« Dann drückte sie auf *Senden*. »Mal sehen, was die *Türkise Lagune* uns antwortet.«
Franzi betrachtete Jorid. Nach all den Ereignissen der letzten Zeit war auch sie sehr schnell wieder sehr fröhlich. Sie stellte sich vor, dass ihr eigenes Zuhause, der Winklerhof, in Gefahr geraten könnte. Oder dass Tinka plötzlich verschwunden wäre. Sie wäre so traurig und niedergeschlagen, dass sie keinen klaren Gedanken mehr hätte fassen können. Sofort hatte sie einen dicken Kloß im Hals und sie musste schlucken. Offensichtlich war es für Jorid nicht das Gleiche. Vielleicht fühlte sie sich eher noch auf Island zu Hause als hier auf Hestaheimur? Und Blossi war nicht ihr eigenes Pferd. Bestimmt machte das einen großen Unterschied. Trotzdem: In Hestaheimur steckten viele Hoffnungen.
PLINGELING, PLINGELING, hörte Franzi ein Handy klingeln. Die vier sahen einander an.
»Ist nicht meines«, meinte Kim. Die anderen verneinten auch.
Jorid rollte zum Küchenschrank und hob einen Stapel Zeitungen nach oben. »Das ist das Handy meines Vaters.«
»Geh doch ran«, meinte Kim.
Jorid schüttelte den Kopf. »Nee, das muss er schon selber machen.«
Franzi warf einen Blick auf das Display und verstand sofort, was Jorid meinte. In großen Buchstaben stand HELGA darauf.

Maries Schokolade fürs Gesicht

Weihnachtsvorbereitungsstress? Raue Winterhaut? Kein Problem mit dieser leckeren Gesichtsmaske, die du ganz schnell selbst machen kannst.

Du brauchst:
- 1 TL ungesüßtes Kakaopulver
- 1 TL Honig
- 2 TL Kokosöl

So wird's gemacht:
Erwärme das Kokosöl bis es flüssig ist. Rühre dann den Kakao und den Honig hinein. Lasse die Masse abkühlen, bis es sich angenehm für deine Gesichtshaut anfühlt.
Entspanne zehn Minuten und entferne die Reste mit einem nassen Waschlappen oder schlecke die Maske einfach ab.

15. Dezember

Isländische Überraschung

Sie standen um das Handy herum. Es klingelte und klingelte. Franzi wurde nervös und ihre Hand zuckte. Sie würde bis zehn zählen und falls, falls, dann ... dann ... dann würde sie hingehen.
Plingeling. Plingeling. Stille.
Franzi atmete auf. Trotzdem starrte sie weiter auf das Display, auf dem eine App aufgeploppt war. Was war das? Das Logo hatte sie noch nie gesehen.
»Ach, Papa hat die Tracking-App noch nicht gelöscht«, meinte Jorid und nahm das Telefon in die Hand.
»Warum hat Einar denn eine Tracking-App auf dem Telefon? Wen will er denn überwachen? Dich?«, fragte Marie erschrocken.
Jorid lachte. »Völlig harmlos. Auf Island haben er und Helga oft weite Strecken durch menschenleere Gegenden mit den Pferden zurücklegen müssen. Und so konnten sie immer sehen, wo sich der jeweils andere gerade befand. Ich denke, er hat mittlerweile vergessen, dass er die App überhaupt hat.«
Kim nahm das Telefon. »Wir können es ihm bringen, wenn wir gehen. Er ist bestimmt noch draußen.«
Jorid winkte ab. »Ja, ja. Können wir später machen. Er ist nicht so der Handy-überall-mit-hinnehm-Typ. Er vermisst es sicherlich nicht einmal.«
Kim stutzte. »Da kann aber was nicht stimmen«, sagte sie. »Die App funktioniert offensichtlich nicht mehr. Die Push-up-Nachricht zeigt an, dass Helga hier ganz in der Nähe ist.«
»Helga nicht unbedingt, aber ihr Telefon«, meinte Franzi. »Lass mal sehen!«
Tatsächlich! Kim hatte recht. Laut der App war Helga nur einige Kilometer entfernt von hier am anderen Ende der Stadt. »Das ist der Stadtteil Abecke«, sagte Franzi. »Romulusweg. Das kommt mir bekannt vor.« Sie zog ihr eigenes Handy hervor und gab die Adresse ein. »Dachte ich es mir doch«, sagte sie triumphierend. »Pferdezucht Rohmeier. Das kann kein Zufall sein!«
»Morgen. Das können wir erst morgen überprüfen«, meinte Marie.

Jorid saß mit gerunzelter Stirn da und trommelte mit den Fingern auf der Armablage ihres Rollstuhls.
»Wie ist denn das möglich«, murmelte sie ein ums andere Mal vor sich hin. »Helga war vorhin noch auf Island.«
»Sie hat doch angerufen, oder?«, fragte Marie. »Dazu muss sie nicht unbedingt auf Island sein.«
Jorid grinste verlegen. »Stimmt auch wieder. Manchmal hat man eine Vorstellung, wie etwas ist, und kann sich schlecht von ihr lösen. Tückisch.«
»Das stimmt, das kommt uns bei der Detektivarbeit auch häufig in die Quere«, gab Kim zu.
Franzi sah zum Fenster hinaus. Es dämmerte bereits und es hatte wieder angefangen zu schneien. Noch hoben sich die weißen Flocken vom dunklen Holz des Offenstalls ab, doch bald würde man das in der Dunkelheit nicht mehr sehen. Eine dick eingemummelte Gestalt lief eilig in Richtung Sattelkammer. Franzi erkannte die Bommelmütze mit den bunten Quasten. Das war Tara. Die wollten sie sowieso noch befragen. Also nichts wie raus!
Nichts wie raus? In die dunkle Schneekälte. Der innere Schweinehund bellte und sträubte sein Fell.
Franzi stellte die Füße fest auf den Boden und sprang auf. »Alle Ausrufezeichen aufgepasst. Wir haben eine Aufgabe in der Sattelkammer. Die Stiefel geschnürt, die Schals um den Hals gewickelt und los geht's«, rief sie freudig. Mehr um sich selbst zu motivieren als die anderen.

»Was machst du denn so ein Geheimnis?« Marie pustete, um die Schneeflocken von ihrer Nasenspitze fernzuhalten.
»Kein Geheimnis!« Franzi grinste. »Aber irgendwie musste ich euch aus dieser gemütlichen, warmen Küche ins Freie locken.«
Sie gingen die Stallgasse entlang. Einige Pferde hatten sich untergestellt und sahen sie neugierig an. »Na, Gulla!« Franzi strich einer cremefarbenen Stute über den Hals. »Ist Tinka gar nicht bei euch?«
In diesem Augenblick wieherte Tinka und trabte heran. Der frisch gefallene Schnee stob unter ihren Hufen und die schwarze Mähne war über und über mit weißen Schneeflocken bedeckt. Als sie Franzi sah, warf sie schwungvoll den Kopf nach hinten.

»Tinka!«, rief Franzi. »Du schönes, schönes Weihnachtspferdchen. Der ganz große Auftritt! Du bist ein richtiges Schauspieler-Pferd geworden!« Sie sah ihre Stute verzückt an. »Hast du Tara gesehen? Und noch viel wichtiger: Hast du Blossi gesehen?«

Tinka wieherte noch einmal. Dann stupste sie Franzi mit der Schnauze an und sah sie mit traurigen Augen lange an.

»Du vermisst ihn, stimmt's?«

Tara trat aus der Sattelkammer. Einen blank polierten Sattel über dem Arm und Tränen in den Augen.

»Ich auch«, sagte sie bedrückt. »Dieses Pferd ist ganz besonders. Besonders schön. Besonders klug. Besonders einfühlsam. Und seit Neuestem auch: besonders verliebt!« Sie sah Tinka an und lächelte. »Was ich sehr gut verstehen kann. Tinka ist ein so süßes kleines Pferd.« Sie hievte den Sattel über die Brüstung. »Und ich bin völlig fertig wegen Blossi. Ich weiß nicht mehr, wo ich nach ihm suchen soll. Er ist nirgends. Meine Stimme ist weg und ich bin so müde, dass ich umfalle.«

»Das macht die Sorge und die Aufregung.« Kim strich Tara verständnisvoll über den Arm.

»Ihr seid nett«, sagte die Regisseurin. »Trotz aller Probleme bewahrt ihr einen kühlen Kopf. Habt ihr schon etwas herausgefunden?«

Marie nickte schwach. »Wir haben Nikkis Ordner gefunden«, sagte sie. »Sie und Blossi waren die letzten Monate ein Herz und eine Seele.«

Tara blickte sie erstaunt an. »Das stimmt. Blossi war Nikkis Reitpferd. Aber welchen Ordner meint ihr?«

»Wie ein Liebes-Album. Mit vielen Bildern von ihr und Blossi. Und auch von dir. Ähh ...« Marie druckste herum. »Ihr wart mal richtig gute Freundinnen, oder? Was ist denn passiert?«

Nun begann Tara noch mehr zu weinen. Sie zog ein Taschentuch aus der Jacke und schnäuzte sich kräftig hinein. »Ich weiß es nicht. Nikki spricht nicht mehr mit mir. Sie ist sogar aus unserer Wohnung ausgezogen. Es war alles so harmonisch. Und dann ist irgendetwas passiert, ich weiß überhaupt nicht, was, und sie hat einfach kein Wort mehr zu mir gesagt. Seitdem streiten wir die ganze Zeit. Irgendetwas bedrückt Nikki. Wenn sie nur mit mir reden würde ...«

»Ihr habt zusammengewohnt?«, fragte Marie.

Tara nickte. »In einer WG. Ein ganzes Jahr. Und die Sache mit Blossi habe ich überhaupt nicht verstanden. Plötzlich wollte sie nicht mehr auf ihm reiten und hat behauptet, sie hätte Angst vor ihm. Seit ungefähr vier Wochen verstehe ich sie überhaupt nicht mehr.«
»War zu dem Zeitpunkt irgendetwas Besonders?«, fragte Kim nach.
Tara überlegte. »Ich habe begonnen, Jorids Geschichte zu einem Theaterstück umzuschreiben, wenn ich mich recht erinnere. Ich hatte da einfach weniger Zeit für sie. Die Uni, mein Nebenjob und eben die Arbeit am Stück. Da muss ich etwas ganz Wichtiges nicht mitbekommen haben.« Sie brach erneut in Tränen aus. »Ich habe mich in der letzten Woche wirklich um sie bemüht, das müsst ihr mir glauben! Aber sie hat mich nicht an sich herangelassen. Und irgendwann habe ich aufgegeben. Sie fehlt mir sehr.«
»Weißt du, wo sie jetzt wohnt?«, fragte Marie.
Tara schüttelte den Kopf. »Keine Ahnung. Das Geld war immer so knapp. Hoffentlich wohnt sie nicht nur irgendwo bei irgendwem auf der Couch.« Tara runzelte sorgenvoll die Stirn und nahm ihr Telefon zur Hand. »Wartet! Ich versuche, sie zu erreichen.« Nach einiger Zeit drückte sie auf den Lautsprecherknopf und eine freundliche Frauenstimme informierte: »Die von Ihnen gewählte Rufnummer ist nicht vergeben.«

Weihnachts-Yoga: der Tannenbaum

Diese Yoga-Übung bringt dich wieder ins Gleichgewicht, wenn der Weihnachtstrubel um dich herum zu viel wird.

Du brauchst:
- bequeme Kleidung

So wird's gemacht:
Stell dich aufrecht hin. Achte darauf, dass du dein Gewicht gleichmäßig auf die Fußsohlen verteilst. Verlagere das gesamte Gewicht auf das linke Bein. Der Fuß des rechten Beins wandert den linken Unterschenkel entlang bis zum Knie. Bleibe so stehen und halte das Gleichgewicht ungefähr eine Minute. Falls du kippst, kein Problem, einfach noch einmal von vorne anfangen.
Die Arme kannst du seitlich hängen lassen oder nach oben nehmen. Wiederhole die Übung mit dem anderen Bein.

<u>Maries Tipp:</u> Du findest die Übung zu leicht? Dann schließe doch mal die Augen dabei!

16. Dezember

Eisschokolade im Bus

Detektivtagebuch von Kim Jülich
Montag, 21:03 Uhr

Es ist ein Ross entsprungen. Nein, ich habe mich nicht verschrieben – wirklich ROSS! Blossi ist weg. Das ist die traurige Neuigkeit des Tages. Jorid vermutet, dass er von der Koppel gestohlen wurde. Und zwar von einer vertrauten Person, weil die anderen Pferde keinen Alarm geschlagen haben. Jetzt sieht es mit den Theaterproben mal wieder mau aus. Schade. Das heißt, Jorid und ich werden weiterüben, wir reiten ja nicht und wir können uns gegenseitig den Text abfragen. (Ich habe allerdings nur zwei Sätze, was bin ich froh!)
Aber wir haben jetzt zwei Fälle. Wir wurden zwar nicht offiziell mit dem zweiten beauftragt, aber der eine hängt sozusagen am anderen.
Wir haben heute herausgefunden, dass vieles bei Jorid und ihren Eltern gar nicht so harmonisch ist, wie es gewirkt hat. Zum Beispiel hat Einar Blossi aus Island exportiert, obwohl seine Schwester ihn als Zuchthengst gebraucht hätte und er ihr Lieblingspferd war. Das war richtig fies von Einar. Und Sanna und Jorid haben es nicht gewusst, weil Helga, das ist Einars Schwester, beleidigt geschwiegen hat. Die beiden haben so enttäuscht ausgesehen. In diesem Moment hätte ich nicht in Einars Haut stecken mögen.
Überraschenderweise ist Helga gerade in Deutschland. Diese Information haben wir von einer Tracking-App auf Einars Handy. Sie ist auf dem Pferdehof, dem sie von Island aus Pferde verkauft hat. Wir werden dem Hof und ihr morgen einen Besuch abstatten.
Wir haben auch mit Tara gesprochen, nachdem wir einen Ordner von Nikki entdeckt hatten, in dem herzzerreißend schöne Fotos von ihr und Blossi zu sehen waren. Tara hat erzählt, dass Nikki und Blossi als Team gesetzt waren, auch in dem Theaterstück. Nikki wollte aber dann nicht mehr auf Blossi reiten und hat sich merkwürdig verhalten. Tara ist sehr traurig darüber, dass die Freundschaft zerbrochen ist. Wir müssen herausfinden, was passiert ist. Leider konnten wir Nikki nicht erreichen, sie hat eine neue Handynummer und umgezogen ist sie auch gerade. Der Punkt des maximalen Durcheinanders ist erreicht, ab jetzt kann es nur besser werden.

Geheimes Tagebuch von Kim Jülich
Dienstag, 21:44 Uhr

▶ Wagt es nicht, meine geheimen Buchstaben, Wörter und Sätze zu lesen! Ich sage dem lieben Weihnachtswichtel Bescheid, dass er euch nicht besucht. Und das werdet ihr bereuen. Er ist nämlich süßer, als ihr denkt! ◀

Gerade sehe ich nach draußen und der Bewegungsmelder ist angegangen. Bestimmt die Katze der Nachbarn, die sehen will, ob sie Pablo ärgern kann. In dieser Hinsicht (und nicht nur in dieser) ist Pablo ein typischer Hund. Er lässt sich so leicht ärgern, springt an die Terrassentür und denkt doch wirklich, dass er die Katze durch sei Gebell vertreiben kann.
Die Katze bleibt einfach sitzen und putzt sich in aller Ruhe, was ihn immer wilder macht.
Fies, aber auch ziemlich lustig. Lukas und Ben lachen sich schlapp. Ist ja klar ...
Aber durch das Licht kann ich die Flocken tanzen sehen und das sieht so weihnachtlich aus, dass mir fast das Herz stehen bleibt. Auf dem Gartenhaus liegt eine dicke weiße Haube und ich habe meine Füße an der Heizung und schreibe. Herrlich. Und das heutige Türchen in meinem Adventskalender habe ich auch noch nicht geöffnet. Ich hoffe auf Schokolade oder einen süßen kleinen Hinstell-Wichtel. Denn zugegeben: In Hestaheimur habe ich mich in die kleinen Wesen verliebt.
NEEEEEIIIIIN! Nicht im Ernst! Gerade kommt eine Bildnachricht von Marie: Sie hatte einen süßen Weihnachtswichtel im Adventskalender, den sie von Holger bekommen hat. Jetzt MUSS ich nach unten, um mein Türchen zu öffnen!

»Wollt ihr?« Kim hielt Marie und Franzi eine Tüte Eiskonfekt hin. »War gestern in meinem Kalender.«
»Ich liebe Eiskonfekt!« Marie nahm sich von jeder Farbe eines. »Das ist so schön schmelzig!«
Franzi winkte ab. »Der Bus fetzt so um die Kurven und ich durfte die neu gebackenen isländischen Kardamommonde meiner Mutter probieren.«
»Danach, wie bleich du gerade im Gesicht bist, hast du nicht nur probiert, oder?« Kim grinste und Franzi verzog den Mund zu einem schiefen Lachen. »Ich sage mal so: Es liegt noch ein Hauch von Kardamomduft in der Küche. Sonst nichts mehr.« Sie blickte auf den Bildschirm, der die nächsten Haltestellen anzeigte. »In Abecke sind wir schon, der übernächste Halt ist der Romulusweg. Zum Glück!« Sie atmete tief durch, lehnte sich zurück und schloss die Augen.

»He, wir müssen raus!« Franzi merkte, wie jemand an ihrem Ärmel zuppelte. Sie öffnete die Augen und sortierte erst ihren Magen und dann ihr Gehirn.
Benommen stolperte sie aus dem Bus, schulterte den Rucksack und blickte Kim und Marie an.
»Totalabsturz wegen Keks-Overload? Alles klar, wir übernehmen die Navigation bis zum Pferdehof«, versprach Kim lachend.
Franzi schüttelte den Kopf und zeigte auf ein Tor. »Nicht nötig, wir sind schon da! Und außerdem geht es mir schon besser. Ich rieche Pferde.«
Sie gingen über die Straße und in die Hofeinfahrt der Pferdezucht hinein. Hier konnte man das komplette Gegenprogramm zu Hestaheimur sehen. Ein weiß getünchtes schmuckloses Haus, vor dem drei strahlend saubere Pferdeanhänger standen. Ein eisiger Wind fegte über den Hof und ließ die Planen flattern und gegeneinanderschlagen.
»Wo sind denn die Pferde?«, fragte Kim und blickte über die leere Koppel.
Franzi zuckte mit den Schultern. »Wahrscheinlich im Stall. Ist ein bisschen kahl hier, oder? Der Winter fühlt sich kälter an, wenn man nichts Gemütlich-Weihnachtliches vor der Nase hat!«
»Geht sogar mir mittlerweile so«, gestand Kim. »Ich hatte gestern einen Wichtel-Wunsch-Anfall. Mit einem Mal konnte ich mir sogar vorstellen, mit so einem Wesen mein Zimmer zu teilen. So weit ist es schon mit mir und diesen nordischen Weihnachtsbräuchen gekommen.«
»Mal 'ne Wichteltür an die Wand, dann kann er rein!« Marie grinste. »Find ich gut, dass du endlich dein Herz für Fabelwesen entdeckt hast.«
»Bevor Kim den möglicherweise bald obdachlosen Elfen auf Hestaheimur ein Zimmer bei ihren Eltern anbietet, würde ich gerne nach den Pferden sehen«, meinte Franzi und ging an den abgekoppelten Pferdeanhängern vorbei zu den Ställen. »Schließlich könnte es sein, dass Blossi hier ist. Und die Gelegenheit ist günstig, wenn niemand vom Hof hier herumschwirrt.«
Franzi drückte die Klinke des Pferdestalls hinunter. Sie war verschlossen. »Mist«, fluchte sie leise.

»Wäre ja auch zu schön gewesen«, murmelte Kim. »Niemand da und Blossi steht hier zum Wieder-Mitnehmen bereit.«
Marie war ein Stück am Stall entlanggelaufen und winkte. »Auf der Rückseite ist ein kleines Fenster. Und es ist gekippt. Da können wir vielleicht hineinkommen.«
Franzi und Kim folgten ihr.
Auch auf der Rückseite des Stalles war alles picobello ordentlich. Ganz anders, als Franzi das von Ställen gewohnt war. Sonst stand immer mal ein Futtereimer zum Trocknen da oder der ein oder andere Pferdeapfel war noch nicht weggeräumt worden. Aber bei Rohmeiers gab es nichts dergleichen. Verwunderlich und gruselig zugleich.
Marie hatte bereits einen Plan. Sie stand mit einer Drahtschlinge bewaffnet vor dem Fenster und bat: »Kann mir mal jemand mit einer Räuberleiter weiterhelfen?«
Franzi fand dieses Marie-Verhalten sogar noch wunderlicher als den sauberen Rohmeierhof. »Und du hast keine Angst, dass deine superschicken Klamotten schmutzig werden?«
Marie sah Franzi erstaunt an und deutete auf die blütenweiße Wand. »Hier kann das überhaupt nicht passieren! Also, los! Und die Drahtschlinge wollte ich sowieso schon immer einmal ausprobieren.«

Winterliches Eiskonfekt

Du liebst Eiskonfekt mindestens ebenso sehr wie Marie? Dann los! Hier ist das Rezept:

Du brauchst:
- 30 Pralinen-Förmchen
- 80 g Vollmilchkuvertüre
- 80 g Kokosfett
- 50 g Puderzucker
- 1 EL Kakaopulver
- ½ TL Zimt

So wird's gemacht:
Die Kuvertüre und das Kokosfett im Wasserbad schmelzen. Dafür stellst du eine Metallschüssel auf einen Topf, in den du Wasser gefüllt hast. In die Schüssel gibst du die Kuvertüre und das Fett. Bringe das Wasser zum Kochen.

Rühre Puderzucker, Zimt und Kakaopulver hinein, bis sie sich aufgelöst haben und keine Klümpchen mehr zu sehen sind.

Anschließend gießt du die Masse in die Pralinenförmchen und lässt sie kalt werden.

Guten Appetit!

Franzis Tipp: Schmücke jedes Konfekt mit einer essbaren Blüte und einer halben Mandel und lass es erst dann erkalten.

17. Dezember

Wichtelpullover

Franzi stellte sich neben sie und faltete die Hände. Marie stieg mit dem rechten Fuß hinein und drückte sich hoch. Nun konnte sie das Fenster bequem erreichen. Sie steckte die Schlinge durch den Schlitz und fädelte sie am Festergriff ein. Dann schloss sie das Fenster und zog gleichzeitig. »Zum Glück ist das ein Uralt-Modell an Fenster«, murmelte sie. »Mit den neuen geht das gar nicht.«

Sie ruckelte ein paar Mal und dann klappte der Griff um und das Fenster schwang nach innen auf. »Allerdings ist die Öffnung kleiner, als ich von unten gedacht habe. Ich versuche es trotzdem.«

Marie steckte den Kopf durch die Fensteröffnung. »Könnt ihr ein bisschen von hinten schieben?«, bat sie. »Aber ganz langsam!«

Franzi wurde mulmig. »Marie, ich weiß nicht. Komm lieber wieder runter. Wir kommen bestimmt auch anders und uneinbrecherisch in den Stall hinein.«

»Quatsch«, gab Marie zurück. »Das klappt schon!«

Sie zog sich weiter durch die Öffnung und Kim schob.

»Ahhh«, jaulte Marie auf. »Meine Hüfte!«

»Was soll ich tun?«, fragte Kim.

»Weiß nicht«, jammerte Marie. »Ich stecke fest. Aua.«

»Darf ich fragen, was ihr hier macht?«

Franzi drehte sich erschrocken um. Hinter ihnen stand eine Frau um die fünfzig. Die langen grauen Haare waren zu seitlichen Zöpfen geflochten und sie trug eine Fellmütze und einen dicken Wollpulli mit einem Weihnachtswichtel darauf. Das Erstaunlichste aber waren ihre Augen. Die sahen genauso grün aus wie die von Einar. Das war garantiert seine Schwester.

»Hrmpf«, machte Marie, die sich in der Fensteröffnung hin und her wand. »Hilfe!«

Franzi starrte die Frau an. Was sollte sie sagen? Dass sie zufällig vorbeigekommen waren und Marie aus Versehen im Fenster stecken geblieben war? Das ging ja wohl schlecht. Blitzschnell überlegte sie hin und her und beschloss, die Flucht nach vorne anzutreten.

»Helga?«, fragte sie aufs Geratewohl.

Die Frau blieb mit offenem Mund stehen. »Woher weißt du? ... Ja, das stimmt. Aber ...«, stotterte sie dann.
»Ich bin Kim!« Kim streckte Helga die Hand hin. »Und das sind meine Freundinnen und Kolleginnen, Franzi und Marie. Marie ist gerade in eine etwas missliche Lage geraten. Vielleicht können wir sie erst zusammen befreien?«
Nun musste Helga lachen. »Du hast recht, so können wir nicht sprechen! Ich komme von innen und helfe.«
Franzi witterte sofort die Chance, nach Blossi Ausschau zu halten. »Ich komme mit!«, sagte sie schnell.

Auch das Innere des Stalls war aufgeräumt und schmucklos. Und trotzdem stellte sich durch die Anwesenheit der Pferde sofort ein Zuhausegefühl ein. Der Geruch, die leisen Geräusche und die Wärme entspannten Franzis Muskeln sofort und sie spürte Leichtigkeit. Helga eilte zum Fenster am Ende der Stallgasse und Franzi folgte ihr, so langsam es ging. Links und rechts standen die Pferde in den Boxen, ihr Blick fiel auf die Namensschilder. Lukas, Snorre, Feuerteich, El Amigo ... Hier gab es nicht nur Isländer, sondern auch Araber. Die meisten steckten Franzi neugierig den Kopf entgegen, aber sie konnte keinen schwarzen Islandhengst erkennen.
»Blossi?«, flüsterte sie. Würde er ihre Stimme erkennen?
Helga hatte mittlerweile eine Leiter aus dem Geräteraum geholt und sie unter das Fenster gestellt. Sie stieg hinauf und versuchte, die arme Marie zu befreien. »Am besten, ich schiebe dich wieder zurück nach draußen, sonst verletzt du dich an der Hüfte!«
Marie nickte unglücklich. »Danke.«
Helga tastete vorsichtig zwischen Marie und dem Fensterrahmen und zog dann Maries Jacke, die sich mit in die Öffnung geschoben hatte, heraus. Sofort hatte Marie wieder mehr Spielraum und ließ sich seufzend nach draußen gleiten, wo Kim sie, so gut es ging, auffing.
»Geschafft!«, sagte Helga. »Und nun erzählt ihr mir, wer ihr seid und warum du nach Blossi rufst!«
Franzi wurde rot. Wie peinlich. Helga hatte das also mitbekommen. Es half also alles nichts. Sie mussten die Wahrheit sagen. Und Helga mit ihrem Verdacht konfrontieren.

»Hat euch Einar geschickt?«, fragte Helga, nachdem sie eine Thermoskanne mit Tee und vier Becher aus dem Haus geholt hatte.
Kim und Marie sahen Helga erstaunt an. »Wie kommen Sie darauf?«
»Ich habe mich verraten, indem ich Blossi gerufen habe«, gab Franzi kleinlaut zu.
»Erst mal: Wir können uns gern duzen. Ich heiße Helga, das wisst ihr ja schon. Und jetzt seid ihr dran. Ihr seid mir eine Erklärung schuldig.«
»Nein, Einar hat uns nicht geschickt. Oder zumindest nur indirekt«, erklärte Kim. »Weißt du, dass es auf Hestaheimur ein Theaterstück mit Pferden geben soll? Das Jorid, deine Nichte, geschrieben hat? Da sind wir mit dabei.«
Helgas Miene wurde grimmig. »Ich weiß. Jorid hat auch auf Island Pferdetheater gemacht. Ich mache mir Sorgen. Solche Pferdespektakel sind häufig die reine Quälerei für die Pferde. Wer sagt mir, dass die deutsche Regisseurin genauso sanft mit den Tieren ist? Meine armen Lieblinge! Ich kenne die meisten der Pferde von Geburt an.«
»Oh, ich glaube, da können wir dich beruhigen«, sagte Franzi. »Ich bin mir ganz sicher, dass die Pferde großen Spaß haben. Und die Pferdetrainerin ist weiterhin Erla. Die Pferde müssen auch keine besonderen Kunststücke aufführen, die meiste Zeit preschen sie wie verrückt durch die Gegend. Meine Stute, Tinka, macht sogar freiwillig mit. Wegen Blossi! Sie ist verliebt in ihn.«
Franzi sah, wie Helgas Blick wieder sanft wurde und sie einen Augenblick verträumt ins Weite blickte. Sie hatte sich aber sofort wieder im Griff und meinte kühl. »Ja, Blossi. Ein toller Hengst. Einar hat ihn mitgenommen. Warum rufst du hier nach ihm?«
»Weil Blossi verschwunden ist!«, sagte Franzi. »Deshalb.«
»Verschwunden?« Helgas Augen wurden trüb und füllten sich mit Tränen. »Blossi?«, hauchte sie. »Nein, das darf nicht ... das ist ... bitte nicht!«

Franzi wurde mulmig. Helga war richtig erschrocken, ihr ging es schlecht. Und irgendwie glaubte sie ihr, dass sie nicht wusste, wo Blossi war, und sich große Sorgen machte.
Plötzlich schien Helga ein Gedanke zu kommen: »Warum kommt ihr

ausgerechnet hierher?« Helgas grüne Augen blitzten vor Zorn. »Und warum wisst ihr, dass ich hier bin?«

»Das ist eine lange Geschichte«, druckste Marie herum. »Wir sind Detektivinnen und ermitteln in Sachen Blossi.«

»So lang ist die Geschichte nicht, oder?«, unterbrach Helga sie unfreundlich. »Ihr denkt, ihr findet Blossi im Stall bei den Rohmeiers. Ihr denkt, ich habe ihn von der Koppel gestohlen. Bestimmt hat Einar euch erzählt, welch böse Schwester ich bin.« Helgas Stimme bebte. »Irgendetwas ist hier faul. Ich habe niemandem außer den Rohmeiers erzählt, dass ich in Deutschland bin. Früher, als es Hestaheimur noch nicht gab, haben wir alle unsere Pferde hierhin vermittelt. Die Rohmeiers hatten mich schon lange einmal eingeladen. Wir haben uns über die Jahre ein Vertrauensverhältnis erarbeitet. Pferde vermittle ich gerade keine mehr an sie. Jetzt wenden sich alle Islandpferde-Interessenten der Gegend direkt an Einar.«

»Verständlich«, sagte Marie. »Es ist also ein rein privater Besuch?« Helga nickte. »Allerdings ist es mir immer noch ein Rätsel, wie ihr wissen konntet, dass ich in Deutschland bin.«

Marie deutete auf ihr Telefon. »Diese Dinger verraten mehr über uns, als uns bewusst ist!« Helga schlug sich mit der Hand auf die Stirn. »Die Tracking-App!« Jetzt zog ihr Handy aus der Hosentasche und tippte schnell darauf herum. »Ich weiß gerade nicht, ob ich Einar noch in meinem Leben haben möchte. Aber diese App auf jeden Fall nicht!«

Baum-Baumschmuck

Du willst den Tannenbaum beim Winterpicknick nicht nur mit Vogelfutterschmuck verzieren? Dann ist dieser kompostierbare Baumschmuck aus Stöckchen genau das Richtige.

Du brauchst:

- Stöckchen in den Maßen 10 cm, 8 cm, 5 cm, 3 cm und 1,5 cm
- unbehandelte Wollfäden von ca. 10 cm Länge

So wird's gemacht:

Lege das längste Stöckchen senkrecht vor dich hin. Nimm dann das 8 cm lange Stöckchen und lege es ca. 2,5 cm vom unteren Ende quer über das senkrechte. Wickle den Wollfaden um die Stöckchen, sodass sie gut verbunden sind. Sichere die Verbindung, indem du einen Knoten machst. Lege nun das nächstlängere Stöckchen quer über das senkrechte Stöckchen. Fahre fort, bis alle vier Stöckchen quer befestigt sind und sich die Dreiecks-Form eines Tannenbaums ergibt.
Knote am Schluss eine Schlaufe an die Spitze, damit du deinen Stöckchen-Tannenbaum aufhängen kannst.

<u>Kims Tipp:</u> Du kannst auch andere Formen zusammenbinden. Zum Beispiel einen David-Stern.

18. Dezember

Isländische Wahrheiten

PLING!
Franzi hatte es sich auf der Eckbank in der Küche der Winklers bequem gemacht. Sie saß mit angezogenen Füßen und las in einer Zeitschrift, die skandinavische Wohnküchen zur Weihnachtszeit vorstellte. Chrissie stand am Herd und kochte Milch für den Kakao auf. Die Schokolade schmolz langsam in einem Wasserbad daneben. »Dein Handy will was von dir!«
Sie warf Franzis Telefon. Es segelte im hohen Bogen durch die Luft und landete auf dem großen Samtkissen neben Franzi.
»Spinnst du? Das ist neu!« Franzi warf Chrissie einen sauren Blick zu.
»Das bleibt auch neu. Selbst wenn ich es werfe.« Sie grinste. »Reg dich ab.«
»Neu und *neu und kaputt* ist nicht dasselbe. Ich habe ewig auf das Teil gespart«, knurrte Franzi und entsperrte es. Eine Mail! Von der *Türkisen Lagune*.
Allerdings war sie auf Isländisch. Franzi verstand nur Erla. Schnell öffnete sie ein Übersetzungsprogramm.
Sie kicherte. Die Antwort war eigenwillig, aber doch eindeutig.

Liebe Erla,

schön, dass Sie uns kritzeln. Welches Auto meinst du? Wir können dir kein Geld für die Sitzheizung geben. Du musst etwas vermasselt haben. Wenn wir Elfen haben, die mit Ihnen sprechen möchten, würden wir uns freuen, wenn Sie mit Ihnen spielen und sprechen!
Mit freundlichen Grüßen

das türkise Schwimmbad mit Elfen drin

Franzi musste kichern. Vermasselt? Mit den Elfen spielen? Haha. Da hatte das Übersetzungsprogramm mit viel Fantasie gearbeitet. Doch im Großen und Ganzen war klar, was das »Türkise Schwimmbad« geantwortet hatte.

Sofort rief sie Kim und Marie an. In Konferenzschaltung für detektivische Notfälle.

»Kommt sofort hierher. Ich habe den Beweis. Erla hat uns angelogen!«

»Wo ist ›hierher‹?«, fragte Kim. »Unsere Telefone haben keine Tracking-Funktion. Vielleicht sollten wir das einmal ändern.«

Franzi lachte. »In diesem Fall würde eine Riech-App völlig genügen. Ich sitze in der Weihnachtsbäckerei meiner Mutter.«

»Wir kommen. Und iss nicht wieder alles allein auf!«, sagte Marie und war schon weg.

Franzi betrachtete den Teller mit den Kardamom-Monden vor sich. Sie dufteten verführerisch. Wer wohl schneller sein würde? Ihre Freundinnen oder die winklerschen Keksevernichter? Da kam schon der erste! Und meistens auch der hungrigste: ihr Vater.

»Einar von Hestaheimur hat mich eben angerufen. Ich soll nach einem der Pferde sehen. Es lahmt«, erzählte er und nahm sich beiläufig eine Handvoll des isländischen Gebäcks, die sofort in seinem Mund verschwand. »Deine Mutter ist eine Meisterbäckerin. Ich liebe sie und ich liebe ihre süßen Kunstwerke«, mummelte er und dabei flogen Kekskrümel und Puderzucker durch die Gegend. Er nahm einen Schluck Tee. »Ich wollte dich fragen, ob du mitfahren möchtest. Zu den Islandpferden.«

»Wenn du noch ein bisschen warten kannst? Kim und Marie sind auf dem Weg hierher. Heute ist zwar keine Probe, aber wir haben beruflich dort zu tun.«

Herr Winkler runzelte die Stirn, sah auf seine Armbanduhr, nickte und setzte sich. »Dann habe ich noch Zeit für eine kleine Keks- und Teepause.« Er dachte kurz nach und sah seine Tochter streng an. »Seid ihr schon wieder in ein Verbrechen verwickelt?« Doch dann winkte er ab. »Was soll's. Ich habe aufgegeben. Ihr ermittelt doch sowieso, *wann* und *wo* und *wie* ihr wollt!«

»Du hast es erfasst.« Franzi klopfte ihrem Papa auf die Schulter. Der sprang auf und drückte sie fest an sich. »Pass auf dich auf. Nicht, dass du heute Abend auch lahmst.«

Franzi fotografierte den Keksteller, auf dem nur noch wenige Monde übrig waren, und schickte ihren Detektivkolleginnen das Foto. »Beeilt euch!«, schrieb sie darunter.

»Und dieses Pferd ist nicht mehr aufgetaucht?«, fragte Herr Winkler besorgt. Er versuchte, den Motor des alten Familienkombis anzulassen. Das Auto machte seit Jahren Probleme, aber Herr Winkler liebte die alte Kutsche. »Wegen der Witterungsverhältnisse müssen wir uns bei einem Islandpferd keine Sorgen machen. Mmm, aber seltsam ist das Ganze schon.«

»Ganz im Gegensatz zu diesem Auto«, witzelte Kim. »Dem scheinen die Witterungsverhältnisse schon etwas auszumachen.«

Der Motor tuckerte, dann trat Herr Winkler das Gaspedal und: Der Motor sprang an.

»Süßer das Auto nie klingt...«, sang Franzi.

Kim und Marie kicherten.

Herr Winkler blickte seine Tochter stolz an. »Kann losgehen«, sagte er.

Sie fuhren über holprige und teilweise unbefestigte Wege zum ehemaligen Rettlerhof. Franzi hielt unwillkürlich Ausschau nach Blossi, obwohl es ziemlich unwahrscheinlich war, dass er sich bei dem Geratter und Gequietsche zeigen würde. »Weißt du, wie das Pferd heißt, das lahmt?«, fragte Franzi ihren Vater.

»Astral oder so ähnlich«, antwortete Herr Winkler.

Marie wurde bleich. »Ástra? Oh nein, das ist ja mein Pferd. Irgendwie hat sich auf Hestaheimur alles gegen die Familie und ihre Vorhaben verschworen. Auf so vielen Ebenen. Das kann doch gar nicht sein. Vielleicht sollten wir doch wütende Elfen als Täter in Betracht ziehen?«

Franzi, die immer noch mit den Augen den Waldrand absuchte, sah im Augenwinkel das rote Auto von Erla.

»Da, da vorne!«, rief sie. »Folge diesem Auto! Aber unauffällig.«

»Klingt aufregend und nach Actionfilm. Aber mit dieser Ausrüstung«, er klopfte auf das ausgeblichene Armaturenbrett des Kombis, »unmöglich, leider!«

»Dann müssen wir dich allein weiterfahren lassen. Halt an«, zischte Franzi. »Los, Kim und Marie, mir nach!«

So leise wir möglich öffneten und schlossen sie die Wagentüren und gingen geduckt den Waldweg entlang, auf dem Franzi das rote Auto von Erla hatte verschwinden sehen.

»Sie ist auf keinen Fall schnell unterwegs«, meinte Kim. »Ob wir sie allerdings zu Fuß einholen? Ich bin mir nicht sicher, ob das die richtige Entscheidung gewesen ist.«

»War es!« Franzi deutete nach vorne. Mitten in den Wald hinein. »Da vorne steht das Auto.«

Alle drei wurden sofort still. Sie duckten sich, als sie von Baum zu Baum liefen und immer wieder Schutz suchten. Sie kamen näher und näher. Franzi zuckte zusammen, als sie auf einen Ast trat, der laut knackte. »Sollen wir sie nicht gleich zur Rede stellen?«, schlug Kim vor. Doch Franzi schüttelte den Kopf. Im Wageninneren saßen zwei Frauen. Erla saß auf dem Fahrersitz und eine andere Frau mit langen braunen Haaren, die unter einer Ohrenklappen-Mütze mit seitlichen Quasten hervorlugten, war die Beifahrerin.

Die beiden lachten laut.

Erla war im Profil zu sehen.

Sie kamen immer näher heran und bald saßen sie links und rechts der Rücksitztüren. Obwohl kein Fenster offen war, konnten die drei !!! jedes Wort hören.

»Nina, das ist so nett von dir!«, hörten sie Erla sagen. »Ich wünsche mir, dass ich mir diesen Traum auch einmal erfüllen kann.«

»Das habe ich doch gerne gemacht. Schließlich hast du mir mit meinem schwierigen Pferd geholfen. Jetzt weiß ich endlich, warum Fjodor mich abgeworfen hat«, antwortete die braunhaarige junge Frau. »Du darfst dir das Auto so oft leihen, wie du möchtest!«

Erla lachte wieder. »Also nicht nur, wenn Fjodor wieder steigt?«

Franzi sah Kim und Marie durch die Scheiben an. Beide blickten verwirrt zurück. Das Auto war nur geliehen?

Franzi packte eine unerklärliche Wut auf Erla. Sie hatte sie alle die ganze Zeit an der Nase herumgeführt. Kurz entschlossen richtete sie sich auf und klopfte an die Scheibe der Fahrerseite. Erla und die die andere Frau schrien vor Schreck laut auf.

»Franzi, was machst du hier?«, entfuhr es Erla. »Mein Herz steht still!«

Franzi riss die Fahrertür auf. »Mein Herz steht auch ganz schön still«, rief sie. »Du hast uns zwei Mal belogen. Mindestens. Wir wollen die Wahrheit hören. Ohne Elfenquatsch und ohne Angeberei!«

Isländische Kardamom-Monde

Du willst dir den Duft von Hestaheimurs Küche nach Hause holen? Dann backe die echten isländischen Kardamom-Monde!

Du brauchst:

- 300 g Mehl für den Teig (und etwas für später)
- ½ TL Backpulver
- ½ TL Hirschhornsalz
- 100 g Zucker
- 1 Prise Salz
- ½ TL gemahlenen Kardamom
- 150 g kalte Butter
- 2 Eier
- 300 g Pflaumenmus
- 3–4 EL Milch
- Nudelholz
- ein Glas (Durchmesser ca. 5–6 cm)

So wird's gemacht:

Erst vermengst du Mehl, Zucker, Salz, Backpulver, Gewürze und das Hirschhornsalz. Die Butter und die Eier knetest du nach und nach unter, bis ein Teig entsteht. Rolle ihn zu einer Kugel und stelle in für eine Stunde kalt.

Heize den Ofen auf 180 Grad Umluft vor. Rolle den Teig aus und stich mit dem Glas Kreise aus. Auf die Kreise gibst du einen Klecks Pflaumenmus und klappst ihn dann mittig zusammen, sodass ein Halbmond entsteht. Drücke die Ränder mit einer Gabel fest.

Lege die Monde auf ein mit Backpapier ausgelegtes Blech und bepinsle sie mit Milch.

Backe sie 10–15 Minuten goldbraun.

<u>Frau Winklers Tipp:</u> Bestreue die Monde zur Hälfte mit Puderzucker und zur anderen mit Kakao.

19. Dezember

Theater-Missverständnisse

Erla wandte sich an die Beifahrerin. »Entschuldige, Nina, ich muss da dringend etwas klären.« Nina, der der Schreck immer noch ins Gesicht geschrieben stand, nickte nur matt. »Geht klar!«
Erla stieg aus dem Wagen und sah bedrückt zu Boden. »Okay. Ihr habt mich überführt. Ich war es so leid, nicht ernst genommen zu werden. Die Elfen sind real. Und sie haben Bedürfnisse. Einar und Jorid haben sich aber nicht überzeugen lassen. Im Gegenteil. Sie haben sich über mich und Sanna lustig gemacht. Ich habe alles dafür gegeben, damit Hestaheimur sowohl ein Zuhause für die Menschen als auch für die Elfen sein kann. Ich habe mich sogar mit diesem Schaper herumgestritten und selbst Vorschläge eingebracht.«
Kim zuckte mit den Schultern. »Ich glaube, das ist nicht so gut angekommen. Bei Herrn Schaper nicht, weil er immer wieder umplanen musste, und bei Einar nicht, weil der Umbau so viel teurer geworden wäre.«
»Jetzt sind die Elfen zornig und haben alles Geld weggenommen. Das ist viel teurer. Denn jetzt können wir gar nichts mehr ausrichten«, wandte Erla ein.
»Du glaubst im Ernst, die Elfen haben das Geld?«, fragte Marie erstaunt. »Du weißt, ich denke durchaus, dass Elfen real sein können, aber dass sie in die Küche spazieren und einen Beutel mit zweihunderttausend Euro klauen? Nee, echt nicht.«
»Und warum die Lüge mit dem Auto und der *Türkisen Lagune*?«, fragte Franzi.
»Woher wisst ihr das?« Erla sah sie erschrocken an.
»Jorid hat uns geholfen, eine Mail auf Isländisch zu schreiben«, erklärte Kim.
Erla schnaubte. »Jorid, war ja klar. Ich frage mich, warum in ihrem Stück überhaupt Elfen vorkommen, wenn sie sie so hasst!«
Marie verzog den Mund. »Sie hasst sie doch nicht. Es sind Sagengestalten für sie, die eine Botschaft transportieren. Isländisches Kulturgut. Wie immer du es nennen willst. Also, noch mal, warum hast du wegen des Autos gelogen? Das wäre doch nicht nötig gewesen.«

»Ich wollte eben allen, die die Existenz von Elfen leugnen, zeigen, dass es sehr wohl Menschen gibt, die das Verborgene Volk ernst nehmen und viel Geld für ein gutes Verhältnis mit ihm in die Hand nehmen.« Erla sah plötzlich traurig aus.
Nina stieg aus dem Auto und umarmte Erla. »Kann ich noch irgendwas für dich tun?«
Erla schüttelte den Kopf. »Die Suppe muss ich selber auslöffeln. Danke! Aber du könntest uns nach Hestaheimur fahren.«

Dort sah alles noch weihnachtlicher aus als je zuvor! Franzi hatte das gar nicht für möglich gehalten. An der Hauswand funkelten kleine weiße LED-Flöckchen und um die Zaunbretter der Pferdekoppel waren Tannenzweige geschlungen, an die saftig aussehende Äpfel gebunden waren. Neben der Holztribüne hatten Einar und Sanna eine kleine Lebkuchenhaus-Bude aufgebaut, in der bei den Vorstellungen isländischer Kinder-Glögg und andere Leckereien verkauft werden sollten.
»Aufgeben ist nichts für in Island lebende Menschen, oder?« Kim grinste Erla an.
»Erfasst!« Erla grinste zurück. »Rauen Wind sind wir gewöhnt!«
»Erla? Zusammen mit meinen berühmten Detektivinnen?«, schallte die Stimme von Herrn Winkler zu ihnen herüber. »Da sind Sie ja!«
»Papa?« Franzi stürmte auf Herrn Winkler zu.
»Entschuldigen Sie«, meinte Erla und gab Herrn Winkler die Hand. »Schön, Sie kennenzulernen. Ich zeige Ihnen Ástra!«
Herr Winkler beugte sich zu den drei !!! hinunter. »Ich habe mich umgesehen. Kein Wunder, dass ihr so gerne hier seid. Alles ist so schön geschmückt und aus der Küche der gleiche Duft wie bei uns zu Hause!«
»Kardamom-Monde, ich weiß«, antwortete Franzi grinsend. Herr Winkler zwinkerte seiner Tochter zu und dann folgte er Erla auf die Koppel.
Kim zog Franzi am Ärmel. »Komm mit, Lauschangriff! Ich habe etwas beobachtet, das wir uns anhören sollten.«
Kim bedeutete Marie und Franzi, die verständnislos schauten, mit ihr zum Offenstall zu kommen. Sie gingen um das Gebäude herum, bis zum Fenster der Sattelkammer.

»Nikki und Tara sind da drin«, flüsterte Kim. »Offensichtlich sprechen sie wieder miteinander.«
»Warum hast du denn nichts gesagt?«, fragte Tara Nikki in diesem Moment. Ihre Stimme klang beinahe flehend.
»Du hast ja nie etwas zu meinen Vorschlägen gesagt. Und ich habe gesehen, dass du Notizen gemacht hast. Also hast du sie gelesen«, entgegnete Nikki böse.
»Nein, ich schwöre. Ich habe dein überarbeitetes Manuskript nie bekommen. Ich weiß nicht, wer da was hineingekritzelt hat. Warum sollte ich nicht mit dir darüber sprechen? Du warst meine beste Freundin und ich hatte mir gewünscht, dass wir die Regie gemeinsam machen. Du auf Blossi und ich auf Leti.« Tara begann zu weinen. »Du hast nicht mehr mit mir gesprochen und dann bist du auch noch ausgezogen. Ich vermisse dich so.«
»Mein Herz ist schon bröselig«, flüsterte Franzi. »Das muss doch auch Nikkis erweichen.«
»Tut es«, antwortete Kim. »Tut es. Hör mal genau hin!«
Tatsächlich! Franzi vernahm ein leises Schluchzen.
»Ich dachte, du wärst so arrogant, dass du meine Vorschläge nicht in Erwägung ziehst. Und bei der ersten Probe hast du dir Blossi geschnappt und mich nicht einmal gefragt. Ich war so wütend und traurig und verletzt. Und dann ist das mit meiner Oma passiert. Ich war unter Schock. Und mit dir wollte ich nicht sprechen«, erzählte Nikki. Nun begann sie, richtig zu weinen.
»Isi-Ehrenwort, dass ich niemals, wirklich niemals, deine Vorschläge gesehen habe. Und schon zweimal nicht abgelehnt. Ich freue mich darauf, sie zu hören. Es tut mir so leid«, beteuerte Tara. »Willst du mir erzählen, was mit deiner Oma passiert ist?«
»Sie ist gestorben. Vor zwei Wochen.«
Franzi erstarrte. »Das ist ja furchtbar«, flüsterte sie.
In der Sattelkammer war es still. Bis auf ein paar unregelmäßige Schluchzer.
»Bitte vertrau mir deine Version des Stücks an«, bat Tara nach einer Weile. »Es steht in den Weihnachtssternen, ob wir das Stück überhaupt noch auf die Bühne, oder besser gesagt: auf die Hufe bringen. Aber wenn, dann nur zusammen!«

Die drei !!! hörten, wie Nikki den Spind aufschloss. Papier raschelte und die beiden kicherten. Dann war wieder alles still.

Kim sah Franzi und Marie an. »Ich weiß genau, was ihr jetzt denkt. Nikki tut euch leid und ihr nehmt sie innerlich von der Verdächtigenliste. Würde ich auch gerne. Aber nur, weil es zwischen ihr und Tara ein Missverständnis gab und ihre Oma bedauerlicherweise gestorben ist, kann sie noch immer das Geld gestohlen haben. Sie brauchte Geld und plötzlich hatte sie es. Wir müssen sie befragen!«

»Du hast recht«, meinte Marie. »Aber nicht jetzt. Ein bisschen Erholung muss man ihr gönnen. Schließlich ist bald Weihnachten.«

»Hey«, begrüßten die drei !!! Jorid, die in rasantem Tempo über den Elfenstein hinweg auf sie zubretterte und mit quietschenden Reifen bremste.

»Wir müssen weitermachen«, rief sie und hielt Franzi einen Ausdruck unter die Nase. »Wir sind ausverkauft. Alle fünfzehn Vorstellungen. Erla hat versprochen, Leti Blossis Rolle beizubringen, und wenn morgen wieder alle Darstellenden hier sind, dann geht es weiter.«

Jorids Wangen leuchteten knallrot. War das die Kälte? Oder die Freude? Franzi wusste es nicht genau. Machte sie sich gar keine Gedanken um Blossi?

»Wir haben auch Neuigkeiten«, meinte Kim. »Erla ist höchstwahrscheinlich nicht die Diebin. Das Auto ist gar nicht ihres. Sie hatte es sich ausgeliehen.«

Jorid schien die Information gar nicht richtig wahrzunehmen. Immer wieder schielte sie glücklich auf den Zettel mit den Vorstellungsterminen und grinste.

»Wir werden Nikki weiter auf den Zahn fühlen. Vieles deutet auf sie hin«, fuhr Kim fort.

Nun wirkte Jorid irritiert. »Nikki? Wirklich? Na, wenn ihr meint.«

»Hast du Gegenbeweise?«, fragte Franzi, der Jorids Verhalten merkwürdig vorkam.

»Nein, nein«, sagte Jorid schnell. Ein wenig zu schnell. »Wird schon Hand und Fuß haben, wenn ihr das sagt! Habt ihr etwas wegen Helga herausbekommen?«

»Wir haben sie sogar getroffen«, meinte Franzi stolz.

Weihnachtsgeheimnisse-Abhörgerät

Du willst wissen, was auf der anderen Seite der Wand besprochen wird? Alles, was du brauchst, ist ein Glas oder ein Pappbecher.

So wird's gemacht:

Lege das Glas mit dem Rand an die Wand. Dein Ohr presst du an den Glasboden. Der Schall wird verstärkt und du wirst besser hören können, was im anderen Zimmer gesprochen wird.

Zuerst musst du allerdings ganz genau wissen, dass du die eventuellen Geheimnisse, die du erfährst, auch hören möchtest. Nicht, dass du dir die ganze Vorfreude auf Weihnachten verdirbst.

Kims Tipp: Das Warten auf Weihnachten und Geschenke machen diese Zeit doch erst besonders schön. Benutze das Abhörglas also nur zu detektivischen Zwecken.

20. Dezember

Die Pferde-Sensation

»Im Ernst? Und? Sie ist wirklich in Deutschland? Das ist ein starkes Stück. Was macht sie denn hier?« Nun hatten sie Jorids Aufmerksamkeit gewonnen.
»Sie hat gesagt, dass sie ihre alten Geschäftspartner, die Rohmeiers, besucht. Rein privat«, erklärte Kim. »Sie war nett und hat Marie aus einer ziemlich misslichen Lage befreit.«
Sie erzählte Jorid, was auf der Suche nach Blossi passiert war.
Jorid lachte, machte dann jedoch ein nachdenkliches Gesicht. »Ich glaube ihr nicht. Es ist aufwändig, die Pferde auf Island zu versorgen. Und gerade vor Weihnachten hatten wir immer alle Hände voll zu tun. Da besucht sie entspannt alte Geschäftspartner? Irgendwas stimmt nicht. Habt ihr nach der Probe noch Zeit? Ich würde mich selbst gerne einmal dort umsehen.«

Franzi rieb sich den schmerzenden Po. Die Probe war anstrengend gewesen, weil die Pferde, die es gewohnt waren, Blossi hinterherzulaufen, nun auf sich allein gestellt waren. Die wilden Ritte hatten recht gut geklappt, alle Dressurfiguren hingegen waren eine Katastrophe gewesen. Eigentlich hatte sie nur nach Hause in die Badewanne gehen wollen, um ihre schmerzenden Knochen und Muskeln zu sortieren, aber versprochen war versprochen.
Nun stand sie also mit Kim, Marie und Jorid erneut vor dem Pferdehof Rohmeier.
Wieder war alles still. Wie ausgestorben.
»Ich habe gesehen, wo Helga den Stallschlüssel geholt hat«, sagte Franzi und zwinkerte Marie zu. »Ich weiß nämlich nicht, ob du noch immer so abenteuerlustig bist, wie gestern.«
Sie verschwand hinter einem Haselnussstrauch, der an der Stallwand wuchs und hinter dem sich der Haken mit dem Schlüssel befand. Sie sahen sich noch einmal um, ob die Luft rein war, und Franzi sperrte auf.
»Es ist zu dunkel«, beschwerte Jorid sich. »Aber Licht können wir ja schlecht machen.«

Marie hielt inne, grinste, holte einen LED-Stern aus dem Rucksack und schaltete ihn in den Discomodus. »War heute in meinem Adventskalender«, berichtete sie stolz. »Folgt dem Stern!«
»Marie, stell das ab. Wenn die Heiligen Drei Könige so einem Lichtgewitter hätten folgen müssen, wäre ihnen schlecht geworden und Jesus hätte keine Geschenke bekommen und wir würden dann *auch* keine Geschenke zu Weihnachten bekommen und –«
Marie unterbrach sie. »Schon gut, schon gut, ich schalte auf Dauerleuchten.«
Der Stern schwebte an Maries Hand durch den Stall und verschwand um die Ecke.
Kurze Zeit blieb es dunkel und still. Dann rief Marie aufgeregt: »Kommt schnell her, das müsst ihr euch ansehen!«

»Hä, na und?«, meinte Franzi. »Was ist denn daran so ungewöhnlich?«
»Du findest es also nicht ungewöhnlich, dass in der Reiterstube des Rohmeierhofs ein Friseursalon eingerichtet ist?«, fragte Marie erstaunt.
»Friseursalon? Ich sehe hier keinen Friseursalon. Hier ist weder ein Spiegel noch ein Stuhl. Nur ein paar von diesen bunten Haarsträhnen und Färbemittel.« Franzi zuckte mit den Schultern.
»Ich kann da auch nichts Merkwürdiges daran finden. Die Rohmeiers sind doch Sauberkeitsfanatiker. Vielleicht darf man im Haus nicht Haare färben. Und muss das hier machen. Weil es kleckern könnte?«
Marie verzog ein wenig beleidigt das Gesicht. »Na gut. Dann finde ich das eben ganz allein verdächtig und komisch. Suchen wir weiter!«

Nach einer halben Stunde, die sie den immer dunkler werdenden Hof absuchten, gaben sie auf. »Helga ist nicht da«, stellte Jorid enttäuscht fest. »Und Blossi auch nicht. Lasst uns nach Hause gehen.« Ihr Telefon klingelte. »Papa?«, fragte Jorid. »Nein! Im Ernst? Das glaube ich nicht! Wir sind schon unterwegs!«
Sie stieß einen Jubelschrei aus und umarmte Franzi, die neben ihr stand. »Blossi ist wieder da!«

Ganz Hestaheimur schien auf den Beinen zu sein. Überall wuselten, lachten und lärmten Menschen und Tiere. Einar kam ihnen mit einem strahlenden Lächeln entgegen. »Kommt, das müsst ihr sehen. Er stand einfach auf der Weide. Unglaublich. Das Gatter war zu, das kann er nicht selbst gewesen sein. Vielleicht hat der Dieb kalte Hufe bekommen!« Er lachte.

Franzi staunte. Wirklich. Da stand Blossi. Schwarz und schön. Sie musste sofort an Tinka denken. Die würde sich freuen, wenn sie ihn morgen wiedersah.

»Blossi«, rief Jorid. Der schwarze Hengst blickte auf, machte aber keine Anstalten, Jorid zu begrüßen.

»Was hat Blossi denn?«, fragte Jorid.

Franzi zuckte mit den Schultern. »Weiß auch nicht genau. Aber ich schätze, er ist ziemlich verwirrt. Offensichtlich muss er seine Entführung und seine Rückkehr erst einmal verkraften. Ich würde ihm Zeit lassen.«

Jorid nickte. »Ich bin so froh, dass er wieder da ist. Bestimmt wird jetzt alles gut.«

Franzi hatte ein anderes Gefühl. Sie konnte aber nicht benennen, was es genau war. Und sie hoffte inständig, Jorid würde recht behalten. Und *sie* sich irren.

Geheimes Tagebuch von Kim Jülich
Dienstag 17:12 Uhr

▶ Schleicht euch weg von meinem Tagebuch, sonst hetze ich euch die bösesten isländischen Weihnachtstrolle auf den Hals. Nein, selbst auf einem Islandpferd entkommt ihr ihnen nicht! ◀
Ich bin sauer. Wir sind die besten Detektivinnen, die ich kenne, und einer dieser isländischen Weihnachtsfälle hat sich einfach von selbst gelöst. Wo gibt es denn so was? Wir hatten nicht einmal die kleinste Spur. (Doch, eine. Wir dachten, Jorids Tante Helga hätte Blossi entführt. Weil sie von Einar auf Glatteis geführt worden ist. Das war aber eine SACKGASSE!) Ich bin nur so einigermaßen versöhnt, weil es jetzt mit den Proben wie gewohnt weitergehen kann. Und weil Tinka ihren Blossi wieder hat. Und wir ALLE unseren Blossi wiederhaben. Allerdings ist das arme Tier verstört. Er hat Jorid heute ignoriert. Na, ich kann es ihm nicht verdenken. Ich nehme es als Weihnachtswunder. Jawohl. Ein Wunder, das uns Zeit schenkt für Proben und Apfel-Pflaumen-Pfannkuchen mit Zimtschneckenbröseln. Und für den Fall des verschwundenen Geldes. Aber Blos-

si, du kannst dir sicher sein! Wir, die drei !!!, hätten dich gefunden und befreit! Wir waren schon auf dem Weg zu deiner Rettung. 1, 2, 3 – Power!

BING! BING! BING!
Franzi blickte erst auf ihr Handy, dann zum Offenstall, wo Ástra sie neugierig ansah. Ástras Bein brauchte noch ein wenig Schonung, das hatte ihr ihr Vater heute Morgen eingeschärft. In der Nacht hatte es so viel geschneit, dass sie von der Schule schneefrei bekommen hatte, weil sie so weit draußen wohnte. Sie hatte die Gelegenheit genutzt und war mit Tinka nach Heistaheimur geritten. Jorid war auch zu Hause. Offensichtlich hatte ihre Schule ihr den Besuch ebenfalls freigestellt.
Kim hatte drei Bilder geschickt. Das erste: ein dicker Stapel Pfannkuchen. Das zweite: ein Wichtel, der neben einem viel niedrigeren Stapel saß. Und das dritte: ein leerer Teller mit der Unterschrift: *Ich kann nichts dafür. Der Tomte war es!*
Franzi kicherte und ging zum offenen Feuer, das Jorid gerade in der eisernen Schale bei der Tribüne anschürte.
Als sie sich setzen wollte, bemerkte sie etwas Rotes, das hinter die Holzbank gerutscht war.
Das, was sie fühlte, war breiig und schwabbelig. Nasses Papier. Sie zog vorsichtig daran. Ein Umschlag. Die Adresse war beinahe unleserlich, doch der Vorname war noch zu lesen: Nikole. Sollte der Umschlag Nikki gehören? Hatte sie ihn hier an der Holztribüne verloren?
Franzi öffnete vorsichtig die Lasche. Da war sie wieder: die Klarsichtfolie. Kein Zweifel, das war Nikkis Umschlag. Diesmal allerdings hatte sie ihren Zweck erfüllt, denn die Papiere waren von der Feuchtigkeit verschont geblieben. Bankauszüge und ein Brief in krakeliger Oma-Schrift. Puh, das war nicht leicht zu entziffern. *Testament*, stand darüber. Es war allerdings eher ein Brief an Nikki als ein Testament. Als Franzi weiterlas, hatte sie einen dicken Kloß im Hals und musste sich immer wieder Tränen aus den Augen wischen. Nikkis Oma musste Nikki sehr lieb gehabt haben. Franzi verstand, warum Nikki der Tod der Oma so nahegegangen war. Und sie verstand noch etwas anderes: Nikki hatte geerbt. Viele tausend Euro. Daher also der Geldsegen. Schnell machte sie Fotos und schickte sie Kim und Marie. Der Fall *Geldklau* hatte offensichtlich eine Verdächtige weniger.

Brei mit Glücksmandel

In den Weihnachtsbrei kommt eine blanchierte Mandel. Wer sie in seinem Teller findet, hat im nächsten Jahr besonders viel Glück! Dies ist ein skandinavischer Brauch.

Du brauchst:
- 1 Liter Milch
- 250 g Rundkornreis
- 2 EL Butter
- 4 EL Zucker
- 1 geschälte Mandel

So wird's gemacht:
Schmilz die Butter in einem großen Topf und brate den Reis kurz darin an. Dann gibst du die Milch dazu und lässt alles kurz aufkochen. Schalte die Temperatur zurück, sodass die Milch nur noch simmert. Lasse den Reis ca. eine halbe Stunde ziehen. Rühre ab und zu um.
Bevor du servierst, versteckst du die Mandel. Na, wer hat nächstes Jahr das meiste Glück?

<u>Franzis Tipp</u>: Serviere heiße Sauerkirschen (aus dem Glas) zum Milchreis. Himmlisch!

21. Dezember

Lampenfieber?

»Blossi?« Erla warf dem schwarzen Hengst einen verzweifelten Blick zu. Dann ging sie zu ihm, streichelte über seinen Rücken und stellte sich vor ihn hin. Anschließend lief sie langsam vor ihm her und gab verschiedene Handzeichen. »Ich möchte wirklich wissen, was mit dir passiert ist«, murmelte sie leise.

Franzi hatte Tinka auf die Koppel der Islandpferde gelassen. Die drei !!! standen am Gatter und sahen zu, wie sie Ástra, deren Fuß wieder gesund war, und Mysla begrüßte. Blossi würdigte sie jedoch keines Blickes.

»Das ist dermaßen merkwürdig«, meinte Marie. »Müsste Tinka nicht viel begeisterter sein, Blossi zu sehen? Wo ist die ganze Pferdeliebe hin?«

Franzi zuckte mit den Schultern. »Ich verstehe das auch nicht. Guckt mal, Erla muss mit ihm Dinge üben, die er längst konnte.«

Erla, die ihren Namen gehört hatte, blickte auf. »Er ist völlig verändert zurückgekommen. Und auch die Herde behandelt ihn anders. Vorsichtig und abwartend. Und was die Kunststücke für das Theaterstück angeht, muss ich noch mal von vorne mit ihm anfangen. Es ist fast so, als hätte er sein Gedächtnis verloren.«

»Vielleicht hat er Lampenfieber? Das könnte ich verstehen«, sagte Kim. »Ich bin dermaßen froh, dass ich neben Jorid stehen darf. Und nur zwei Sätze habe. ›Du hast recht Prinzessin, die Liebe macht den Unterschied.‹ und ›Mir ist kalt wie einer Giraffe, die sich in die Tundra verirrt hat.‹«

»Beides schöne Sätze.« Franzi kicherte und steckte die Hände in die Jackentasche. Tinka trabte sofort heran. »Nein, meine Süße, du täuschst dich. Ich habe kein Leckerli mehr. Aber frag Blossi mal, ob du ihm helfen kannst. Er benimmt sich so komisch.« Tinka sah Franzi fragend und schüttelte dann den Kopf. »Ich verstehe! *Du* kapierst die Welt auch nicht mehr?«

»Komm, Franzi, wir müssen uns umziehen. Die Probe beginnt gleich!«, drängelte Kim.

Die nächsten Tage waren randvoll. Das war schön, aber auch anstrengend. Die Proben liefen super, Sanna brachte immer mal wieder selbst gebackene Plätzchen und Kinderpunsch nach draußen. Ab und an auch mal Heringssalat und gebeizten Lachs. Franzi konnte sich an den Fisch nicht so richtig gewöhnen. Kim und Marie waren allerdings begeistert. Vor und nach den Proben war es immer so lustig und gemütlich. Sie saßen am offenen Feuer, redeten mit den anderen Elfen und Trollen und halfen Sanna und Einar, Holz klein zu hacken und Plätzchen für den Verkaufsstand zu backen. Franzi war von Kopf bis Fuß in Weihnachtsstimmung.
Erla arbeitete unermüdlich mit Blossi, der immer größere Fortschritte machte und schon bald erneut die Führung bei den Kunststücken und wilden Ritten übernahm. Tinkas Liebe zu ihm war allerdings erloschen. Doch das schien ihn nicht weiter zu kümmern.

»Wir haben schon ewig nicht mehr richtig über unseren Fall nachgedacht«, sagte Kim zerknirscht und hielt ein dickes Marshmallow ins Feuer. »Und dabei haben wir Sanna und Einar versprochen, unser Bestes zu tun.«
Franzi streckte ihre Beine, die mit Fellstulpen umwickelt waren, aus, um sie zu wärmen. Genüsslich steckte sie sich einen Marshmellow in den Mund. »Ich würde sehr gerne weiterermitteln, wenn ich nur wüsste, was und wie. Alle Spuren haben sich als Sackgasse erwiesen. Erla hat das Geld nicht, das Auto war nur geliehen und sie hätte keinen Nutzen. Sie möchte ja, dass das Geld den Elfen zugutekommt. Nikki war es nicht, sie hat von ihrer Oma geerbt. Und bei Herr Schaper waren wir gestern noch mal. Er hat sich mit Einar ausgesprochen und wird das Projekt weiter betreuen. Erst einmal unentgeltlich, weil er mit Hestaheimur Werbung machen möchte, wie er uns versichert hat. Ich denke also, den können wir auch von der Liste streichen.«
»Auf der dann genau niemand mehr steht«, meinte Marie achselzuckend. »Wir müssen also abwarten.«
»Kommt, wir machen noch einen Durchgang vor der Generalprobe morgen«, sagte ein kleiner Troll und hob den Kinder-Glögg-Becher. »Seid ihr dabei?«
Die drei !!! hoben gleichzeitig ihre Tassen. »Na klar!«, rief Marie.

»Ich sterbe!«, knurrte Kim und zog den Gürtel ihres Elfenkostüms zu. »Wenn es nicht gleich losgeht, renne ich noch mal aufs Klo und muss mich aus diesem Kostüm pellen. Das überlebe ich nicht!«

Marie kicherte. »Dann sag halt noch mal deinen Giraffensatz auf. Nur zur Beruhigung.«

»Haha. Nicht witzig! Habt ihr gesehen, wie viele Menschen gekommen sind? Die ganze Stadt ist da.« Kim hielt sich die Hände vor den Bauch und krümmte sich.

»Klar sehen wir es. Wir sind mitten unter ihnen.« Franzi sah ihre Freundin besorgt an. »Kim, du hast echt Muffensausen, oder?«

Kim nickte schwach.

Franzi überlegte. Normalerweise war der Detektivinnen-Powerspruch für brenzlige Situationen innerhalb eines Falls gedacht. Um neuen Mut und Kraft zu bekommen. Und um sich noch einmal zu vergewissern, dass sie die drei besten Freundinnen auf der ganzen Welt waren. Das wussten sie zwar auch so, aber der Powerspruch tat trotzdem immer wieder gut.

»Unser Fall liegt brach«, begann sie. »Und deshalb beantrage ich, den Powerspruch für diesen Theater-Lampenfieber-Spezialfall ausleihen zu dürfen!« Sie streckte die Hand nach vorne und rief: »Die drei !!! – Eins!«

»Gute Idee, Franzi«, lobte Marie und streckte ebenfalls den Arm aus. »Zwei!«

Kim murmelte leise: »Drei.«

»Was hast du gesagt? Wir können dich nicht hören!« Marie grinste.

»Drei!«, schrie Kim und musste lachen.

»Power!!!«, riefen sie gleichzeitig und warfen die Arme nach oben. »Und jetzt geht die Premiere los!«

Franzi strich Mysla über den Hals und lehnte den Kopf an ihr weiches Fell. »Jetzt tölten wir den Trollen davon und bringen die Liebe und Weihnachten zurück zu den Menschen«, flüsterte sie.

Die Tribüne war berstend voll. Die Kinder saßen in den ersten drei Reihen. Sie hatten spitze rot-weiß geringelte Tüten in der Hand und futterten gebrannte Mandeln, Kardamom-Monde und Kokosmakronen. Sie lachten und sahen sich immer wieder einmal zu ihren Eltern

um. Franzis Blick blieb an einer Frau in der hintersten Reihe hängen. War das Helga? Die Zöpfe allerdings waren nicht grau, sondern schwarz. Bestimmt täuschte sie sich. Helga war sauer auf ihren Bruder, warum sollte sie zur Aufführung kommen? Oder wollte sie sich davon überzeugen, dass es den Pferden bei der Show gut ging? Oder war sie wegen ihrer Nichte Jorid da? Die hatte ihr schließlich nichts getan ... Franzi konnte nicht länger darüber nachdenken. Sanna hatte den Glögg-Stand verlassen und war vor die Tribüne getreten. Sie schaltete ein Handmikrofon an.
»Ich freue mich sehr, euch ein echtes Weihnachtswunder präsentieren zu dürfen. Dieses Stück könnt ihr *nur* sehen, weil der Geist der Weihnacht gewirkt hat. Erst ist unser gesamtes Geld gestohlen worden. Aber die Truppe hat zusammengehalten und die Darstellenden haben dankenswerterweise bis zum heutigen Tag auf ihr Honorar verzichtet.«
Ein Mann aus dem Publikum stand auf und applaudierte. »Bravo, das nenn ich Einsatz. Frohe Weihnachten! Habt ihr auch schon eine Spendenbox aufgestellt?«
Ein zustimmendes Raunen ging durch die Zuschauer.
»Danke«, sagte Sanna. »Aber damit noch nicht genug. Vor zwei Wochen ist unser tierischer Hauptdarsteller verschwunden. Und als er plötzlich wieder auf der Koppel stand, hatte er alles verlernt. Nur durch unsere erfahrene Pferdetrainerin Erla konnte er seine Rolle wieder übernehmen.«
Nun stand Tara auf und rief: »Danke, Erla. Danke, Blossi!« Sie umarmte Blossi, der neben ihr stand.
Franzi erschrak. Wie sah Taras weißes Elfenkleid denn aus? Das war erst heute Morgen fertig geworden und ganz neu. Überall schwarze Flecken. Offensichtlich war der Stoff so beschaffen, dass er Schmutz leicht annahm.
Sie stieß Marie in die Seite und deutete auf Taras Kleid. »Das ist furchtbar. Was hat sie damit gemacht?«
Marie schlug die Hände vor den Mund. »Ich habe keinen blassen Schimmer. Aber jetzt ist es zu spät, sich umzuziehen. Es geht los!«

Superschnelle, superleckere Blätterteigschnecken

Dieses Rezept kann gut und gerne Teil deines Adventspicknicks werden. Deine Gäste werden die schnellen Schnecken lieben, versprochen!

Du brauchst:

- 1 Rolle Blätterteig aus dem Kühlregal
- 5 EL Frischkäse
- 100 g Reibekäse (z.B. Emmentaler)
- 4 EL Tomatensoße
- Salz
- Pfeffer
- 1 Ei

So wird's gemacht:

Heize den Ofen auf 180 Grad (Umluft) vor. Rolle den Blätterteig aus. Streiche zuerst den Frischkäse darauf. Dann die Tomatensoße. Salze und pfeffere. Zum Schluss streust du den Reibekäse darüber und rollst den Teig wieder zu einer großen Rolle zusammen.

Schneide mit einem Messer 2 cm dicke Scheiben ab und lege sie auf ein mit Backpapier ausgelegtes Backblech.

Verquirle das Ei, salze und pfeffere es und bepinsele die Rollen damit. Nach 15–20 Minuten im Ofen sind die Schnecken aufgegangen und goldbraun. Fertig!

<u>Kims Tipp:</u> Es ist noch Nudelsoße oder gekochtes Gemüse vom Vortag im Kühlschrank? Rein in die Schnecken! Mmmmm.

22. Dezember

Merkwürdiger Geldtransport

Obwohl Franzi immer wieder mit den Gedanken bei Taras Elfenkleid war, gelang der erste Teil des Stücks beinahe perfekt. Die Trolle waren über die Lande gefegt und hatten alles mit Eiskristallen überzogen, auch die Herzen der Menschen. Jorid, die Elfenprinzessin, war mittlerweile auf ihrem Thron festgefroren und auch Kim hatte ihren Giraffensatz bereits eindrucksvoll zum Besten geben können.

Nun kam der schwierigste und anstrengendste Teil für die Reiter und die Pferde. Sie mussten die Liebe und alle liebevollen Taten in der Luft einfangen. Dafür mussten die Pferde steigen und Volten drehen. Und vor allem rasend schnell tölten.

Franzi ritt zwischen Marie und Tara. Blossi war schnell, immer eine Pferdelänge voraus. Er wendete und Franzi traute ihren Augen kaum. Da, wo das Kleid von Tara mit Blossis Fell in Berührung gekommen war, war das Fell viel heller. Nur noch dunkle Schlieren erinnerten an die schwarze Farbe. Klar, die war ja jetzt an Taras Kleid. Das allein wäre schon merkwürdig genug gewesen. Doch in Franzis Kopf fügten sich einige Puzzleteile zu einem Bild zusammen, das plötzlich Sinn ergab. Kein Blossi in Rohmeiers Stall. Aber ein helleres Islandpferd. Die Haarfärbefarbe und die Probesträhnen in der Reiterstube. Helgas neue Haarfarbe. Ihre Hilfsbereitschaft, obwohl sie doch jeden Grund gehabt hätte, sauer zu sein. Blossis komisches Verhalten nach seiner Rückkehr. Sie verstand: Das Pferd neben ihr, das war nicht Blossi, das war ein ganz anderes Pferd! Und Helga steckte sehr wohl hinter dem Pferdediebstahl. Franzi sah zu Marie, die konzentriert nach vorne blickte und sie nicht wahrnahm. »Marie?«, schrie Franzi. »Blossis Fell. Schau!«

Marie drehte sich so ruckartig um, dass sie fast von Ástra fiel. Sie nickte und machte ein Daumen-hoch-Zeichen, um Franzi zu signalisieren, dass sie Blossis Entfärbung ebenfalls bemerkt hatte.

Jetzt mussten sie nur noch Kim informieren. Dafür war die nächste Szene günstig. In der sie die guten Taten zur Elfenprinzessin brachten und das Eis schmelzen ließen.

Schnell ritt Franzi zu Jorid und Kim, die versteinert am Thron standen.

Sie sprang ab und schüttete das rote Konfetti über die beiden, das die guten Taten und die Liebe symbolisieren sollte. Es glitzerte und wirbelte und Franzi zischte: »Helga hat Blossi. Der Blossi hier ist nicht Blossi, sondern ein anderes Pferd!«

Kim blickte sie zunächst verständnislos an, schien dann aber auch eins und eins zusammenzuzählen. Sie blickte zur Tribüne. Franzi und Marie ebenfalls.

Sie sahen, wie Helga sich hektisch am Kopf kratzte und dann aufstand und plötzlich verschwunden war.

»Warum ist sie misstrauisch geworden?«, fragte Franzi verwundert. »Hat sie auch die Flecken auf Taras Kleid gesehen?«

Kim war sofort im Detektivinnenmodus. »Sie hat bestimmt bemerkt, wie wir uns verständigt und immer wieder zu ihr gesehen haben. Wir müssen ihr folgen. Das Stück ist eh beinahe um, es gibt nur noch eine Massenszene und da fällt es niemandem auf, wenn wir nicht dabei sind. Los!«

Sie schlängelten sich durch die Darsteller und Darstellerinnen und schafften es unbemerkt von der Bühne.

»Wir verteilen uns und suchen Helga. Sie kann noch nicht weit sein«, meinte Kim. »Ich schaue beim Haus, Marie beim Stall und du, Franzi, bei den parkenden Autos.«

Franzi rannte zu dem Wiesenstück neben dem Haus, das Sanna und Einar für die Autos eingezäunt hatten. Sie sah Helga sofort. Nervös nestelte sie an einem Schlüsselbund und stieg in ein weißes Auto.

»Mist«, fluchte Franzi. »Die ist wohl weg!« Sie wollte schon umdrehen, doch sie hörte kein Motorengeräusch. Helgas Auto gab nur ein paar gurgelnde Laute von sich. Franzi konnte ihr Glück kaum fassen. Das war ihre Chance! »Kim, Marie!«, rief Franzi. »Hierher!«

Sie rannte auf Helgas Auto zu. Doch gerade als Franzi die Beifahrertür öffnen wollte, sprang der Motor an und Helga drückte aufs Gaspedal. Schneematsch spritzte nach hinten und Helga brauste davon.

»Schon wieder Mist! Doppelmist!« Franzi stampfte mit dem Fuß auf.

»Was ist passiert?«, keuchte Kim, die mit Marie im Schlepptau am Parkplatz ankam.

»Helga ist mir gerade um Haaresbreite entkommen«, machte Franzi ihrem Ärger Luft.

Plötzlich war Jorid bei ihnen. »Ich habe alles mitbekommen. Schnell, ich weiß den Fahrplan auswendig. Der Bus müsste JETZT fahren.«
In Windeseile waren sie bei der Bushaltestelle. Franzi und Marie schoben Jorid und halfen ihr über die unwegsamen, schneebedeckten Stellen hinweg.
»Da vorne!«, rief Kim. »Ist das Helga? Und der Bus kommt auch gerade!«
»Zum Glück fährt Helga so grottenschlecht Auto. Da steht sie noch und kommt nicht weiter«, kommentierte Franzi.
»Glück muss man eben auch mal haben«, meinte Marie und winkte dem Fahrer im leeren Bus. »Aufmachen!«, rief sie laut.
Helgas Motor heulte noch einmal auf, sie fuhr los und bog auf die Straße ein.
Die Türen des Busses gingen auf. Franzi rannte nach vorne und Marie und Kim kümmerten sich um Jorid. »Folgen Sie diesem Wagen. Unauffällig. Wir sind Detektivinnen!«, bat Franzi den Busfahrer.
Der Busfahrer lachte. »Klar, und ich bin Lewis Hamilton. Steigt ein. Mit Elfen sollte man sich nicht anlegen. Und den Spaß lasse ich mir nicht entgehen. Eure Kostüme sehen echt toll aus!« Er tippte etwas in ein Display am Armaturenbrett und schloss die Türen.
»Haltet euch fest, Mädels, ihr seid meine einzigen Fahrgäste und wir machen jetzt eine ganz besondere Notfall-Dienstfahrt.«
Zum Glück hatte sich Franzi hingesetzt. Und zum Glück war die Bremse an Jorids Rollstuhl festgestellt. Denn der Busfahrer holte alles aus seinem Bus heraus und folgte Helga quer durch die Stadt.
Der Bus legte sich in die Kurven, beschleunigte, bremste und die Wangen des Busfahrers wurden immer röter. »Das ist mein größtes Weihnachtsgeschenk!«, rief er freudestrahlend.
Plötzlich hielt er mit quietschenden Reifen an. »Der Wagen hat hier angehalten«, sagte er fast enttäuscht. »Romulusweg.«
»Danke«, riefen Kim, Franzi, Marie und Jorid gleichzeitig. »Und frohe Weihnachten!«

Franzi griff an die Rückenlehne von Jorids Rollstuhl und blieb mit dem Reißverschluss der Jacke hängen. Mit einem Ruck versuchte sie sich loszumachen und da passierte es: Ein Teil des Polsters war nur notdürftig mit einem Klebeband repariert worden und klappte auf. Dabei quoll die Füllung heraus.

»Ah, wie ungeschickt«, entfuhr es Franzi. Sie wollte das Innenleben des Rollstuhls schnell zurückstopfen, hielt jedoch erschrocken inne und starrte auf das, was sie in den Händen hielt. Geld!

Viele, viele Scheine.

Sie blieb stehen.

»Franzi, was ist los?« Kim war bereits über die Straße gelaufen und guckte ungeduldig zu ihnen.

Franzi nahm ein paar der Scheine und hielt sie Jorid unter die Nase. »Die Frage gebe ich direkt an Jorid weiter: Was ist los? Woher kommt das ganze Geld in deinem Rollstuhl?«

»Woher hast du das?«, fuhr Jorid sie böse an. Doch sie schien von ihrer eigenen Reaktion erschrocken zu sein, denn plötzlich veränderte sich ihr Gesicht von wütend zu schuldbewusst. »Ich habe das Geld aus der Küchenbank genommen!«, gab sie zu. »Und in das Futter meiner Rollstuhllehne geklebt.«

Franzi konnte erst einmal gar nichts sagen und sah Jorid nur verständnislos an.

»Warum?«, fragte sie nach einer ganzen Weile.

In der Zwischenzeit waren Kim und Marie zu ihnen zurückgekommen. Sie sahen überrascht auf den Haufen an Geldscheinen in Franzis Hand und dann zu Jorid, die weinte.

»Ich hatte es so satt«, erklärte Jorid. »Das ständige Gestreite wegen der Elfen und der neuen Entwürfe. Ich hatte Angst, dass sich meine Eltern so sehr darüber zerstreiten, dass sie sich trennen.«

»Aber damit hast du sie doch noch mehr in Schwierigkeiten gebracht. Sie sorgen sich, ob sie Hestaheimur überhaupt halten können.« Marie stemmte die Hände in die Hüften.

»Aber sie haben wieder zusammengekämpft«, meinte Jorid kleinlaut. »Und das war es, was ich wollte! Mein Plan hat so gut funktioniert, dass ich den Zeitpunkt, an dem ich das Geld zurücklegen wollte, immer wieder verschoben habe. Und dann kam die Sache mit Blossi.«

»Steckst du da etwa auch dahinter?«, fragte Kim.

»Nein. Wirklich nicht. Ihr müsst mir glauben!«

Überraschungswichteln

Es macht richtig viel Spaß, jemandem eine Freude zu bereiten. Und fast noch lustiger ist es, wenn derjenige überhaupt nicht damit rechnet und nicht weiß, wer ihn da mit einer Kleinigkeit beschenkt hat.
Das glaubst du nicht? Probiere es doch gleich einmal aus!

Du brauchst:

- nette Kleinigkeiten wie selbst gemachten Baumschmuck, bemalte Steine o. Ä.
- nette Menschen, die nicht mit einer Überraschung rechnen

So wird's gemacht:

Gegenüber wohnt eine alte Dame, die nur selten Besuch bekommt? Stell ihr eine Kleinigkeit und ein elektrisches Teelicht vor die Tür. Zusammen mit einem Wichtelgruß von dir. Lege dich auf die Lauer und freue dich daran, wie sehr sie sich freut!

<u>Maries Tipp:</u> Du kannst ein Wichtelgenschenk auch an einem belebten Ort aussetzen. Zum Beispiel auf einer Parkbank. Schreibe eine Widmung:
<u>Für die nächste Person auf dieser Bank! Frohe Weihnachten.</u>

23. Dezember

Blossi, das Hundepferd

»Nach diesem Geständnis schwer zu glauben«, konterte Franzi, die immer noch die Geldscheinbündel in der Hand hielt.

»Es war keine gute Idee«, murmelte Jorid, »das ist mir schon selbst klar. Bitte verzeiht mir, dass ich euch zum Narren gehalten und eure Zeit verschwendet habe.«

»Ich verstehe deine Gründe nur halb«, meinte Kim. »Fast hätte das Theaterstück nicht stattfinden können.«

In diesem Augenblick bog ein Auto mit einem Tierarztlogo auf den Pferdehof Rohmeier ein.

Auf einem Anhänger stand eine sehr große Tiertransportkiste.

»Helga! Und Blossi. Vor lauter Rollstuhl-Geldtransport hätten wir die beiden fast vergessen. Wir besprechen das später, Jorid, aber jetzt müssen wir zusammenhalten und Helga überführen«, meinte Franzi bestimmt.

Unauffällig überquerten sie die Straße. Im Hof der Rohmeiers hielten sie sich seitlich bei der Thuja-Hecke. So weit weg von den zwei Autos und dem Pferdestall wie nur irgendwie möglich.

Der Tierarzt stieg aus dem Auto und sah sich um. »Frau Haraldsdottír?«, rief er. »Ich bin ein wenig früher dran.«

»Einen Moment, bitte!«, rief Helga aus dem Inneren des Stalls. »Ich komme gleich!«

Franzi hörte ein Rumpeln und Poltern und dann ging die Stalltür auf. Eine neugierige schwarze Pferdeschnauze war das Erste, was sie sah.

Blossi!, schoss es ihr durch den Kopf.

Das ist der echte Blossi!

Dahinter folgte Helga, die Blossi am Stallhalfter hielt.

»Herr Wattenstein?«, fragte sie. »Schön, dass Sie es einrichten konnten.«

Franzi erstarrte. Wattenstein? Der Name war im Hause Winkler in letzter Zeit häufiger gefallen. Herr Wattenstein war in einen Gammelfleisch-Skandal verwickelt gewesen und hatte seine Zulassung als Tierarzt verloren. Ihr Papa hatte sich oft über seine Skrupellosigkeit aufgeregt und war froh gewesen, als Herr Wattenstein verurteilt worden war. Was in aller Welt machte er nun auf dem Rohmeierhof, was hatte er mit Helga zu tun und am schlimmsten: Was hatte er mit Blossi vor? Irgendetwas schien Herrn Wattenstein unangenehm zu sein, denn er trat unruhig von einem Bein auf das andere. Möglicherweise war ihm aber auch einfach kalt. »Ich bin für Spezialaufträge immer gern zu haben«, antwortete er.

»Und das weiß ich auch sehr zu schätzen.« Helga führte Blossi zum Auto des Tierarztes, der die Laderampe nach unten ließ und die Transportbox öffnete. »Haben Sie die Papiere unterschrieben?«

»Natürlich. Ein Hundetransport extragroß für den Flug nach Keflavík heute Abend um halb neun«, antwortete er und übergab Helga eine Mappe mit Unterlagen.

Helga zog einen dicken Umschlag aus der Jackentasche. »Hier. Für Ihre Bemühungen.«

»Was haben die beiden vor?«, zischte Kim. »Warum muss Blossi in diese Kiste? Mir reicht es jetzt. Ich habe eine SOS-SMS an Kommissar Peters geschickt. Die Sache stinkt zum Himmel.«

»Helga will mit Blossi wieder nach Island fliegen«, kombinierte Franzi. »Das ist aber verboten. Die Islandpferde, die aus Island kommen, dürfen nicht wieder zurück.«

»Blossi soll als Hund eingeflogen werden? Wer glaubt das denn? Solche großen Hunde gibt es doch nicht«, antwortete Marie. »Wir müssen die beiden irgendwie hinhalten!«

Franzi schmunzelte. »Guckt mal, Blossi hilft uns nach Kräften dabei.« Helga hatte alle Mühe, Blossi auch nur in die Nähe der Anhängerrampe zu bewegen. Er blieb einfach stehen, blähte die Nüstern und schüttelte den Kopf.

Helga redete isländisch auf ihn ein. Kim, Marie und Franzi sahen Jorid fragend an. »Sie erzählt ihm, wie schön es zu Hause auf Island sein wird. Wie ihm der raue Wind durchs Fell wirbeln wird und die Steine unter seinen Hufen klappern werden.« Sie seufzte. »Da bekomme ich selbst Heimweh, so schön beschreibt sie es.«

Blossi stand immer noch still da, hörte Helga jedoch aufmerksam zu. Nun sang sie ihm ein Lied ins Ohr.

»Er versteht alles«, meinte Jorid. »Blossi ist wirklich unglaublich.«

»Ich habe aber nicht den ganzen Nachmittag Zeit«, maulte Herr Wat-

tenstein. »Wenn das Pferd nicht folgt, müssen wir wohl mit starken Beruhigungsmitteln nachhelfen.«

Helga schüttelte entsetzt den Kopf. »Bitte geben Sie mir noch einen Moment. Blossi wird bald bereit sein.« Sie machte erneut einen Versuch, das Pferd zum Anhänger zu führen. Vergeblich.

Franzi sah zur Toreinfahrt des Pferdehofs. Sie hörte Kommissar Peters, bevor sie ihn sah.

Und sie atmete erleichtert auf, als er schwungvoll in die Hofeinfahrt fuhr und scharf bremste.

Blossi ging erschreckt ein paar Schritte zurück, als der Kommissar aus dem Auto sprang und sich umblickte.

Nun traten die drei !!! und Jorid aus dem Schutz der Thuja-Hecke.

»Was macht ihr hier?«, rief Helga erschrocken. »Wie seid ihr mir gefolgt?«

»Elfengeheimnis«, meinte Kim trocken.

»Könnt ihr mir erklären, was hier vor sich geht?«, wandte sich Kommissar Peters an die drei !!!. »Ich bin Kims Notruf gefolgt, sonst weiß ich mal wieder nichts über euren neuesten Fall. Ich dachte doch tatsächlich, ihr macht Weihnachtspause.« Kommissar Peters lachte schnaubend. »Ich hätte es, wie immer, besser wissen müssen.«

»Neueste *Fälle*«, berichtigte Kim. »Der eine ist allerdings schon gelöst. Aber bei dem anderen brauchen wie Ihre Hilfe. Es handelt sich um eine Entführung und bewusste Falschdeklaration von tierischer Fracht.«

»Klingt professionell, aber ich verstehe immer noch nichts«, meinte Kommissar Peters stirnrunzelnd.

»Geht mir genauso«, sagte Marie. »Falschwas?«

»Deklaration. Auf den Papieren steht etwas anderes, als eigentlich im Paket ist.«

Plötzlich ging alles ganz schnell. Tierarzt Wattenstein sprang in sein Auto, rangierte vor und zurück, bis er am quer geparkten Polizeiauto vorbeikam, und brauste davon.

Kim zuckte nur mit den Schultern. »Den kriegen wir schon dran. Wir kennen seinen Namen.«

Helga zitterte und hielt sich an Blossi fest. »Verschwindet!«, rief sie. »Ihr macht alles kaputt. Ich brauche Blossi zurück, ihr wisst überhaupt nichts. Die Unterlagen habe ich. Ich werde jetzt zum Flughafen fahren und dann wegfliegen. Für immer.«

Jorid sah die aufgelöste Helga mitfühlend an. »Ohne Anhänger und Box? Helga, das ist doch Unsinn. Dein Vorhaben ist gescheitert. Gib auf!«

»Du ... du ... du ...« Helgas Stimme zitterte. »Du hast auch gewusst, wie wichtig Blossi für mich ist. Und trotzdem hast du es zugelassen, dass mein mieser Bruder ihn einfach mitnimmt.«

»Nein«, antwortete Jorid sanft und rollte ein Stück auf ihre Tante zu. »Das wusste ich nicht, das musst du mir glauben. Ich war erstaunt, dass Blossi dabei war. Und Papa hat behauptet, dass er das mit dir abgesprochen hat.« Sie streckte die Hand nach Helga aus. »Ich habe dich so lange nicht gesehen. Ich vermisse dich.«

Helga sah ihre Nichte an. Dann vergrub sie ihr Gesicht in Blossis Mähne und begann zu weinen. Jorid rollte dicht an sie heran und strich ihr sanft über den unteren Rücken. »Ich erzähle dir jetzt mal von meinem Blödsinn, den ich gemacht habe.«

Und sie begann, von der ersten Zeit in Deutschland zu erzählen, vom Umbau, von Erla und den Elfen bis zu ihrem Entschluss, das Geld aus der Küchenbank zu nehmen. »Und ich kann dich sehr gut verstehen«, schloss sie.

Helga hatte mittlerweile aufgehört zu weinen und hielt Jorids Hand. »Ich hatte über die Rohmeiers von dem Wattenstein-Skandal gehört. Und ich dachte, das ist meine Chance, Blossi heimlich wieder nach Island zu bekommen. Ich war so verzweifelt. Ich bin es immer noch.« Sie senkte den Kopf erneut an Blossis Seite.

»Du bereust es, dass du Blossi entführt hast, richtig?«, fragte Jorid.

»Eigentlich bin ich sogar froh, dass ich aufgeflogen bin. Ich hätte die Sache zwar durchgezogen, weil ich schon so viel Geld und Zeit investiert hatte. Aber was, wenn ich aufgeflogen wäre? Dann hätte ich nie wieder als Pferdezüchterin arbeiten dürfen.« Sie wandte sich an Kommissar Peters. »Was machen wir denn jetzt? Bin ich verhaftet?«

Jorid zwinkerte Franzi zu und deutete auf die Rückenlehne des Rollstuhls. »Ich hätte da etwas anderes im Sinn.«

Rätselverpackungen

Weihnachten und Detektivarbeit gehen nicht zusammen, sagst du? Von wegen.
Beschrifte deine Geschenke nicht wie gewohnt, sondern schreibe die Namen der Beschenkten in Geheimschrift auf.

Du brauchst:

- verpackte Geschenke für verschiedene Personen
- eine Geheimschrift deiner Wahl, z.B. den Caesar-Code
- Geschenkanhänger

So wird's gemacht:

Der Caesar-Code ist eine einfache Verschlüsselung, die extrem wirkungsvoll ist.
Du ordnest den 26 Buchstaben die Stelle im Alphabet zu.
Also: A=1, B=2, C=3 usw.
KIM würde zum Beispiel zu 11 9 13.
Wetten, dass deine Familie nicht so schnell herausbekommt, welches Geschenk für wen gedacht ist?

<u>Kims Tipp:</u> Für eine Verschlüsselung geeignet ist auch der Morsecode. Da bestehen die Buchstaben aus Strichen und Punkten.

A ·—	G ——·	L ·—··	R ·—·	X —··—
B —···	H ····	M ——	S ···	Y —·——
C —·—·	I ··	N —·	T —	Z ——··
D —··	J ·———	O ———	U ··—	
E ·	K —·—	P ·——·	V ···—	
F ··—·	L ·—··	Q ——·—	W ·——	

24. Dezember

Friede, Freude, Tannenbaum

»Echt, das hat sie gemacht?« Franzi flocht ein rotes Band in Tinkas Mähne. »Das finde ich fair. Es war nicht richtig, was Helga getan hat, und beinahe hätte sie mit der Aktion ihre ganze Existenz aufs Spiel gesetzt. Aber Einar hat sich auch alles andere als korrekt verhalten.«
»50.000 Euro«, bestätigte Kim. »Die hat Helga von Einar bekommen, um sich auf Island einen Ersatz für Blossi kaufen zu können. Vom Rest werden die Besetzung der Weihnachtsshow gezahlt und der restliche Umbau. Vielleicht kann der rollstuhlgerechte Zugang für Jorid erst einmal nur eine stabile Rampe oder so sein. So lange, bis sich das Geld in der Küchenbank wieder wohlfühlt.« Kim grinste. »Jorid sagt aber, das mache ihr nichts aus. Gerechte Strafe und so ...«
Franzi räumte das Putzzeug weg und betrachtete zufrieden ihr Werk. So würde Blossi bestimmt nicht mehr die Augen von Tinka wenden können. Seit er nach Hestaheimur zurückgekehrt war, waren er und Tinka wieder ein Herz und eine Seele. Heute sollte die letzte der fünfzehn Vorstellungen stattfinden. Die Vorstellung am Heilignachmittag. Kim und Marie waren schon früh am Morgen auf den Winklerhof gekommen, um bei den letzten Weihnachtsvorbereitungen zu helfen. Die ausschließlich privater Natur waren: kein Hofcafé mehr und kein Kuchenlieferservice. Nur Baum schmücken, Nussbraten in den Ofen schieben und Weihnachtslieder trällern. Und Tinka für die große Abschlussvorstellung und die anschließende Weihnachtsfeier schick machen.
»Was hat Kommissar Peters denn gestern zu dir gesagt?«, fragte Marie Kim. »Du warst doch auf einen Weihnachtstee bei Elif und ihm.«
»Wattenstein bekommt noch einmal richtig Ärger, weil er gegen die Bewährungsauflagen verstoßen hat. Er wird seine Zulassung als Tierarzt wohl nie mehr zurückerhalten.«
»Geschieht ihm recht. So verantwortungslos, wie er sich verhalten hat.« Marie nickte und ein wenig Glitzerschnee-Haarschmuck wirbelte um sie herum. »Oh, da habe ich wohl mit der Haardekoration ein wenig übertrieben! Und Jorid und Helga?«
Kim zuckte mit den Schultern. »Die beiden sind die untätigsten Tä-

terinnen, die ich in meiner Laufbahn als Ausrufezeichen erlebt habe. Die sind mit den Konsequenzen ihres Handelns genug bestraft. Und es hat ja auch niemand Anzeige erstattet. Wir werden sehen.«

Die letzte Vorstellung endete mit einem tosenden Applaus. Alle Elfen und Trolle mussten zehnmal auf und ab reiten und trotzdem standen die Zuschauer auf der Holztribüne und johlten und klatschten weiter.
»Bravo!« »Noch mal!« »Hurra!«
Die Rufe hörten nicht auf.
Franzi ließ sich von Myslas Rücken gleiten. Sie strahlte glücklich und gleichzeitig spürte sie eine bleierne Müdigkeit von der anstrengenden Reiterei der letzten Stunde.
Blossi und Tinka kamen Seite an Seite zu ihr getrabt. Tinka ohne Sattel, Blossi mit.
Tinka stupste Franzi an.
»He, wollt ihr alle drei gleichzeitig Streicheleinheiten?«, kicherte Franzi. »Ich habe nur zwei Hände, ihr Süßen.« Sie wuschelte den Pferden nacheinander durch die Mähnen. »Frohe Weihnachten ihr Weihnachtsponys. Ihr lebt die Botschaft von Jorids Stück schon immer. Liebe schmilzt das Eis, das zwischen uns entsteht, wenn wir streiten, gierig oder missgünstig sind. Aber wir Menschen kapieren es *auch* manchmal.«
Marie umarmte Franzi von hinten. »Ich habe deinem Pferdegeflüster gelauscht«, gestand sie. »Das hast du schön gesagt!«
»He, warum wird hier ohne mich gekuschelt? Ich will auch!« Sie lachte, breitete die Arme aus und umarmte wiederum Marie. »Ihr seid meine besten Freundinnen! Wisst ihr das?«
»Wissen wir«, sagte Franzi und klang ein wenig erstickt. »Aber an Weihnachten darf man das ruhig noch mal sagen. Gefühlsduselei ist ausdrücklich erwünscht!«
»Hast du nicht vorhin gesagt, auch wir Menschen kapieren manchmal, wie wichtig die Liebe ist?«, fragte Marie und zeigte auf die Holztribüne, die sich nun langsam leerte.
Auf der obersten Stufe saßen Einar und Helga. Einar hatte Helga die Hand um die Schulter gelegt und sie prosteten sich mit einer Tasse Glögg zu.

»Die beiden haben sich ausgesprochen und versöhnt, wie cool!«, sagte Franzi zufrieden.

»Und nicht nur das. Erla und Sanna setzen sich gerade dazu und von hinten kommt Jorid angerollt. Hurra!« Marie strahlte. »Da hat Weihnachten ganze Arbeit geleistet.«

»Und wir«, sagte Kim bestimmt. »Immerhin haben wir den Fall mit Blossi gelöst und sogar den Gelddiebstahl.«

»Einspruch. Den Gelddiebstahl hat der Zufall gelöst. Wir wären nie im Leben auf Jorid gekommen. Aber du hast schon recht. Bei Blossi haben wir gut ermittelt«, behauptete Franzi.

»Obwohl, ein bisschen Weihnachtsglück war da auch dabei. Dass die Farbe ausgerechnet auf das neue Kostüm abgefärbt hat ...«

»Wir haben aber die richtigen Schlüsse daraus gezogen und basta!« Kim verschränkte die Arme.

Jorid winkte von oben. »Kommt hoch. Wir wollen im kleinen Kreis den Abschluss der Vorstellungen feiern und auf Heiligabend anstoßen!«

Marie und Franzi sattelten Mysla und Ástra ab und rieben sie in der Stallgasse trocken. Dann ließen sie sie auf die Koppel, allerdings nicht ohne ihnen für die schöne gemeinsame Zeit zu danken und zu versprechen, sie bald wieder zu besuchen. Mit Leckerlis selbstverständlich.

»Hoppla!« Franzi stolperte über eine braune Aktentasche, die mitten im Weg zur Tribüne stand. Kim hielt ihre Freundin geistesgegenwärtig am Ärmel fest, sodass sie nicht hinfiel.

»Tut mir leid, wie ungeschickt von mir«, murmelte ein Mann, der auf dem Boden kniete und mit einem roten Punkt etwas ausmaß. Mit der einen Hand zog er die Tasche zu sich, um Platz zu machen, und in der anderen Hand hielt er ein Infrarotmessgerät.

Franzi erkannte den Mann sofort.

»Herr Schaper?«, fragte sie erstaunt. »Was machen Sie denn hier?«

»Ich habe mir die Vorstellung angesehen. Ihr wart alle großartig. Vorher war ich noch gar nicht so richtig in Weihnachtsstimmung und jetzt möchte ich am liebsten alle Weihnachtslieder singen, die ich kenne.« Er lachte und rückte seine dicke gestreifte Wollmütze gerade. »Und um den Weihnachtsbaum herumtanzen.«

»Und was ist das in Ihrer Hand?«, forschte Kim weiter nach.
»Ach so, das! Eine Weihnachtsüberraschung.« Herr Schaper lachte. »Ich habe wunderbare Neuigkeiten für Hestaheimur. Kommt mit, ich wollte es gerade der Familie erzählen.«

Alle, wirklich alle – Sanna, Einar, Jorid, Helga, Erla, Nikki, Tara und all die anderen Darsteller und Darstellerinnen – standen um den festlich geschmückten Weihnachtsbaum herum, der neben der Holztribüne aufgebaut worden war. Die Zuschauer waren nach und nach vom Hof gefahren und die Pferde trabten auf der Koppel herum oder wälzten sich entspannt auf dem Boden.
Und alle, wirklich alle starrten gebannt auf den Plan, den Herr Schaper aufgerollt hatte und der einen Entwurf zeigte, der den Elfenfelsen im Boden berücksichtigte.
Herr Schaper erklärte, was es mit dem neuen Vorschlag auf sich hatte.
»… und mit den Zuschüssen, die wir als Vorreiter mit der neuen Lehmbauweise mit Papierdämmung erhalten, können wir die Umbaukosten ziemlich gering halten. Ich selbst werde auf mein Honorar verzichten, wenn ich ab und zu Kunden mit hierherbringen darf, die sich dann von den Vorteilen dieser umweltfreundlichen Bauweise überzeugen dürfen«, schloss er.
Einar hatte Tränen in den Augen. »Herr Schaper, ich weiß gar nicht, wie ich Ihnen danken soll«, sagte er. »Das ist wunderbar.«
Herr Schaper zwinkerte Erla zu. »Das wüsste ich schon. Ich würde nämlich gerne reiten lernen.«
Jorid erhob die Tasse mit Kinder-Glögg. »Helga, Erla und Sanna haben sich mit Einar versöhnt, Tara und Nikki auch, niemand ist mir wegen des Geldklaus böse, Blossi ist wohlbehalten zurück und wir haben gemeinsam ein wunderbares Pferdetheater erschaffen. Das heißt: Weihnachten ist da! Friede, Freude, Tannenbaum!«
Kim, Franzi und Marie erhoben ebenfalls ihre Tassen und kuschelten sich dicht aneinander.
»Frohe Weihnachten, ihr beiden!«, murmelte Franzi leise und lächelte.
In diesem Moment begann es zu schneien und eine kleine Schneeflocke landete auf ihrer Nase.

Tanz um den Weihnachtsbaum

Warum immer nur um den Weihnachtsbaum herumsitzen? Tanzen ist angesagt! Alle fassen sich an den Händen und los geht's. Dazu passen eher beschwingte Lieder wie: <u>Am Weihnachtsbaume, die Lichter brennen</u>, <u>Heute, Kinder, wird's was geben</u> und <u>O Tannenbaum</u>.
In den nordischen Ländern wird auch gerne eine Polonaise daraus, die durch das ganze Haus zieht!

<u>Maries Tipp</u>: Hänge dieses Jahr viele Zuckerstangen, Schokokringel und Äpfel an den Baum! Die kannst du dann nach Weihnachten plündern!

LESEPROBE

Mira Sol
Rätselhafter Raub

Laute Knutschgeräusche schallten Kim entgegen, als sie die Küche betrat. Ben und Lukas drängten sich mit ihren Sporttaschen an ihr vorbei.
»Du hast gestern vor tausend Leuten David geküsst«, sagte Lukas laut. »Peinlich!«
»Sind wir denn im Kindergarten?«, rief Kims Mutter von der Eingangstür. »Kommt endlich.« Sie winkte Kim zu. »Hallo, mein Schatz. Du hast gleich Ruhe. Wir fahren zum Auswärtsspiel.«
Kim nickte erleichtert.
Ihre Mutter lächelte. »Eure Lesung war phänomenal.«
Ben streckte den Kopf neben ihr zur Tür herein. »Das Beste war der Feueralarm!«
Frau Jülich schob Ben energisch nach draußen und schickte Kim einen Luftkuss. »Reg dich nicht auf. Hab einen guten Tag! Papa hat Pfannkuchen gemacht.«
Die Tür fiel ins Schloss.
Kim atmete tief durch. Ihre Mutter hatte recht. Auf keinen Fall würde sie sich jetzt über die Zwillinge ärgern und sich die Laune verderben lassen. Sie würde ausgiebig frühstücken und dann mit einem spannenden Krimi in ein duftendes Schaumbad steigen …
»Guten Morgen!«, unterbrach die Stimme ihres Vaters ihre Gedanken. »Setz dich und greif zu.«
Kim gab ihrem Vater ein Küsschen auf die Wange. »Danke!«
Sie schlüpfte auf die Bank in der Sitzecke.
Herr Jülich stellte einen großen Teller mit einem Berg dampfender

Pfannkuchen auf den Tisch. Ein köstlicher Duft breitete sich in der Küche aus.

»Lecker«, murmelte Kim. Sie nahm einen Pfannkuchen, bestrich ihn dick mit Himbeermarmelade und rollte ihn auf. »Ich glaube, ich brauche heute einen komplett entspannten Samstag.«

»Den hast du dir verdient«, meinte ihr Vater. »Eure Lesung hat mir sehr gut gefallen«, schwärmte er, während er seinen Pfannkuchen großzügig mit Puderzucker bestäubte. »Es hat richtig Spaß gemacht, dir und David zuzuhören.«

»Das freut mich.« Kim biss ein Stück von ihrer Pfannkuchenrolle ab, kaute und schluckte schnell. »Herr Rohloff war auch sehr zufrieden. Er meinte, dass er noch weitere Lesungen für uns organisieren kann. Super, oder?«

»Das wäre toll. Ich werde zu jeder Veranstaltung kommen!«

»Prima!«, rief Kim und nahm einen Schluck von ihrem Kakao.

Im Flur klingelte das Telefon. Herr Jülich wischte sich die Finger an seiner Küchenschürze ab und stand auf. »Das wird der Lieferant von den Zifferblättern aus dem Schwarzwald sein, da muss ich ran.«

Kims Vater betrieb eine Werkstatt für Kuckucksuhren. Er liebte seine Arbeit, und Kim freute sich für ihn, dass der Laden gerade richtig gut lief.

Sekunden später kehrte Herr Jülich in die Küche zurück. Er hielt Kim den Hörer hin. »Für dich. Es ist Marie.«

»Hey, guten Morgen«, erklang Maries vorwurfsvolle Stimme. »Du hast dein Handy ausgeschaltet.«

Kim runzelte die Stirn. »Wahrscheinlich ist der Akku leer.«

»Auch egal, jetzt bist du ja dran.« Marie schnappte nach Luft, dann legte sie los: »Ich habe gerade Herrn Rohloff getroffen, als ich joggen gehen wollte. Er war total aufgeregt, weil er einen Anruf von seiner Patentante bekommen hat. Halt dich fest: Letzte Nacht wurde im Wasserschlösschen eingebrochen! Wahrscheinlich sind einige Puppen aus der Ausstellung gestohlen worden. Wir müssen sofort hin.«

Kim fiel beinahe das Telefon aus der Hand. Das klang definitiv nach einem neuen Fall für ihren Detektivclub! Augenblicklich setzte das bekannte Bauchkribbeln ein.

Ihr Vater sah sie prüfend an.

Mein Wunschzettel

Meine Vorsätze für das neue Jahr

Kim versuchte ein möglichst belangloses Gesicht aufzusetzen. »Ich komme gleich nach«, sagte sie mit ruhiger Stimme in den Hörer. »Tut mir leid, ich hab's einfach vergessen.«

»Ähm?«, machte Marie. Dann lachte sie leise auf. »Verstehe, dein Vater ist in der Nähe. Wir treffen uns am Schlösschen. Franzi weiß schon Bescheid.«

»Super, bis dann.« Kim drückte das Gespräch weg. Sie wuschelte sich durchs Haar. Eigentlich konnte sie Lügen auf den Tod nicht ausstehen. Aber manchmal ging es nicht anders. Sie seufzte. »Ich hab völlig vergessen, dass ich mit Marie und Franzi verabredet bin. Wir wollen uns die Puppenausstellung im Wasserschlösschen ansehen.«

Das war, zumindest was den Ort betraf, nicht gelogen.

Kim klaubte das restliche Pfannkuchenstück von ihrem Teller und schob es sich in den Mund. »Ich muss los«, nuschelte sie und umarmte ihren Vater.

»Ich wünsche euch viel Spaß – mit drei Ausrufezeichen.«

Kim stutzte. War das Zufall oder spielte ihr Vater gerade auf den Namen ihres Detektivclubs an? Ahnte er etwas?

Sie beschloss, die Bemerkung einfach zu übergehen.

»Zum Abendessen bin ich wieder da«, versprach Kim und rannte zur Garderobe im Flur.

»Bitte in einem Stück und mit Kopf dran«, rief ihr Vater ihr hinterher.

Kim sah zur Küche rein. »Keine Sorge. Es ist doch nur ... eine Ausstellung.« Sie schlüpfte in ihren Kapuzenpulli, stieg in ihre Turnschuhe und beeilte sich aus dem Haus zu kommen, bevor ihr Vater noch etwas sagen konnte.

Willst du wissen, in welchem spannenden Fall
die drei !!! diesmal ermitteln?
Dann frag in deiner Buchhandlung nach:
Die drei !!! — Rätselhafter Raub,
ISBN: 978-3-440-16811-0

Hilf Kim, Franzi und Marie
und öffne die geheimen Seiten

Rätselhafte Himmelszeichen – Geheimbuch
192 Seiten, ca. €/D 13,–
ISBN 978-3-440-16807-3

Mysteriöse Schatten in der Schule – Geheimbuch
192 Seiten, ca. €/D 14,–
ISBN 978-3-440-17345-9

Das geheime Buch – Geheimbuch
192 Seiten, ca. €/D 13,–
ISBN 978-3-440-16984-1

Kim, Franzi und Marie sind „Die drei !!!". Mutig und clever ermitteln die drei Detektivinnen und sind jedem Fall gewachsen – doch diesmal brauchen sie deine Hilfe! In diesen Büchern gibt es geheimnisvolle verschlossene Seiten, die bei der Lösung des Falls helfen. Viel Spaß beim Knobeln und Ermitteln!

diedreiausrufezeichen.de Preisänderung vorbehalten

Die drei !!!

Entdecke die Welt der drei !!!

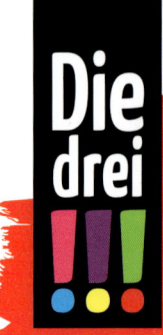

Wirf **einen Blick** hinter **die Kulissen** und erfahre mehr von den **drei !!!**.

Mach mit bei **tollen Gewinnspielen** und lade dir **coole Extras** im **Fancorner** runter!

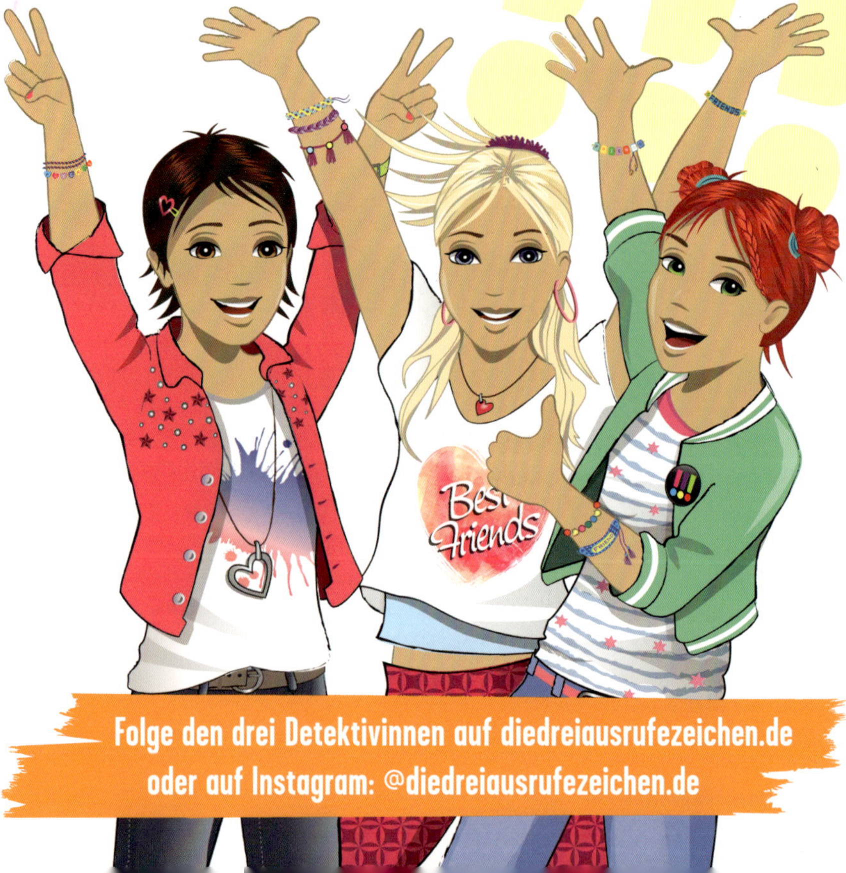

Folge den drei Detektivinnen auf diedreiausrufezeichen.de
oder auf Instagram: @diedreiausrufezeichen.de

Illustration: Ina Biber

Clevere Girls knacken jeden Fall!

- ☐ Die Handy-Falle
- ☐ Betrug beim Casting
- ☐ Gefährlicher Chat
- ☐ Gefahr im Reitstall
- ☐ Nixensommer
- ☐ Das rote Phantom
- ☐ Wildpferd in Gefahr
- ☐ Tatort Kreuzfahrt
- ☐ Das geheime Parfüm
- ☐ Der Fall Dornröschen
- ☐ Der Graffiti-Code
- ☐ Heuler in Not
- ☐ Tatort Geisterbahn
- ☐ Gefahr im Netz
- ☐ Nacht der Wölfe
- ☐ Gefährliches Spiel
- ☐ Gefahr in den Ruinen
- ☐ Kuss der Meerjungfrau
- ☐ Legende der Einhörner
- ☐ Rätsel der Vergangenheit
- ☐ Tatort Hollywood
- ☐ #Falscher Ruhm
- ☐ Achtung, Gaunerzeichen!
- ☐ Das Bienengeheimnis
- ☐ Vier Pfoten in Gefahr
- ☐ Ein echt schöner Fall
- ☐ Geheimnis im Spukhotel
- ☐ Das Konfetti-Komplott
- ☐ Voller Einsatz für die Erde
- ☐ Luftballon-Küsse
- ☐ Ein Fall mit Herz und Huf
- ☐ Rätselhafter Raub
- ☐ Geheimnisvoller Liebestrank
- ☐ Die Krimi-Verschwörung
- ☐ Der Fluch der Fee
- ☐ Mission Gipfelglück
- ☐ Geburtstagsdiebe
- ☐ Geheimnis am Fluss
- ☐ Abenteuer-Küsse
- ☐ Unheimliches Meeresleuchten
- ☐ Falle im alten Kino
- ☐ Abenteuer Afrika
- ☐ Rätsel der alten Eiche
- ☐ Influencerin in Not

diedreiausrufezeichen.de

Weitere Bände der Reihe sind als E-Book erhältlich.

Die drei !!! bringen das Hofcafé-Schild an
- Die Farbe im Eimer und auf dem Pinsel ist blau statt rot.
- Maries Rucksack fehlt.
- Tinkas Blesse fehlt.

Die drei !!! in gemütlicher Reiterhofstube mit Kamin
- Der rechte hängende Stern ist rot statt grau.
- Die linke Kerze auf dem Kamin brennt nicht.
- Auf der Teekanne in Maries Händen fehlen die Moosbeeren.

Die drei !!! trinken Kakao vor dem Kamin
- Maries Spiegelbild fehlt.
- Einer der Äpfel auf dem Boden ist grün statt rot.
- Das rote Geschenk hat Punkte anstatt Sternchen aufgedruckt.

Die drei !!! verkleiden sich im Offenstall als isländische Märchenfiguren
- Das Hufeisen ist verschwunden.
- Maries Brosche ist blau statt rot.
- Die Glöckchen an Franzis Kostüm fehlen.

Die drei !!! fahren Pferdeschlitten
- Die Eule fehlt.
- Franzis Handschuhe sind blau statt rot.
- Die Schneeflocken fehlen auf dem Pferdeschlitten.

Die drei !!! am Lagerfeuer
- Auf dem Hestaheimur-Schild fehlt die Kohlmeise.
- Die Tasse in Franzis Hand ist rot anstatt grün.
- Die Girlande über der Haustür fehlt.

Die drei !!! im Stall mit einem Fohlen
- Die Schwalbe fehlt.
- Das Zaumzeug ist grün, nicht blau.
- Das Licht der Gaslampe ist erloschen.

Die drei !!! sind im Stall mit Tinka
- Ein kleines blaues Geschenk fehlt.
- Der Stern im Fenster ist blau statt gold.
- Das Hufeisen hängt falschrum an der Wand.

Die drei !!! ermitteln zwischen Islandpferden im Schnee
- Der Pferdestall ist dunkelgrün statt rot gestrichen.
- Franzis Armbänder fehlen.
- Die Streifen auf Kims Pulli sind grau statt rot.

Die drei !!! machen Stockbrot
- Die Katze hat braune statt schwarze Flecken.
- Ein Insektenhotel fehlt im Verkaufsstand.
- Das rechte Huhn fehlt.

Die drei !!! ermitteln im Stall
- Die rote Schleife von Blossi ist orange.
- Das Schloss an Taras Spind fehlt.
- Die Pferdebürste neben Franzi ist verschwunden.

Die drei !!! bei der Pferdeshow
- Die Satteldecke von Franzis Pferd ist blau statt rot.
- Das Zaumzeug des weißen Pferdes ist rot statt blau.
- Kims Horn ist verschwunden.

Illustrationen und Umschlaggestaltung: Ina Biber, Gilching, unter Verwendung von Vorlagen von iStock.com/-Vladimir- (abstract vector blueprint), iStock.com/Creative_Outlet (Paul Revere Riging C), iStock.com/MerggyR (Winterwald Hintergrund), iStock.com/Roi and Roi (Firewood), iStock.com/Viktoriia Kashchuk (Christmas seamless pattern), iStock.com/Best Content Production Group (Mouse in farm house), iStock.com/Apilart (Pferderassen), iStock.com/MicrovOne (Cozy christmas pattern), iStock.com/FloWBo (Winter landscape panorama), iStock.com/Nadezhda Deineka (Interior of an old Russion hut), iStock.com/Yelyzaveta Matiushenko (Seamless pattern of mistletoe), iStock.com/Лилия Альбертовна Галеева (Cartoon happy horse), iStock.com/Bellott (Grasende Pferde), iStock.com/addan (Comic Winterlandschaft mit Bäumen), iStock.com/tseybold (old red barn), iStock.com/drogatnev (Santa Claus flies over the house in the snow), iStock.com/Viktoriia Kashchuk (christmas seamless pattern christmas tree and houses), iStock.com/ZU_09 (Fairytale castle), iStock.com/Nadzeya_Dzivakova (Tauben), iStock/Daria_Andrianova (Spinnrad), iStock.com/johnnyknez (Sleeping child waiting for Santa), iStock.com/johnnyknez (Christmas decorated interior), iStock.com/lumpynoodles (Holiday Garland), iStock.com/Bullet_Chained (Schwalbe), iStock.com/edel_s (Mädchen auf Pony), iStock.com/Anikakodydkova (Christmas theme), iStock.com/Sky_melody (Insektenhotel), iStock.com/Anikakodydkova (wooden ladder), iStock.com/VikiVector (Wood campfire), iStock.com/Abscent84 (Suburban house covered in snow), iStock.com/Best Content Production Group (Farm barn house, iStock.com/ artisticco (makeup artist), iStock.com/prahprah (Stanzvorlage Box).
Illustration Morsealphabet: Karin Helmreich, Weinstadt

> Alle Angaben in diesem Buch erfolgen nach bestem Wissen und Gewissen. Sorgfalt bei der Umsetzung ist dennoch geboten. Der Verlag und die Autorin übernehmen keinerlei Haftung für Personen-, Sach- oder Vermögensschäden, die aus der Anwendung der vorgestellten Materialien und Methoden entstehen könnten.

Unser gesamtes lieferbares Programm und viele
weitere Informationen zu unseren Büchern,
Spielen, Experimentierkästen, Aktivitäten, Autorinnen
und Autoren findest du unter **kosmos.de**

Gedruckt auf chlorfrei gebleichtem Papier
© 2022, Franckh-Kosmos Verlags-GmbH & Co. KG
Pfizerstraße 5–7
70184 Stuttgart
Alle Rechte vorbehalten
ISBN: 978-3-440-17356-5
Redaktion: Lea Hille, Jana Vorderwülbecke
Produktion: Verena Schmynec
Satz: DOPPELPUNKT, Stuttgart
Druck und Bindung: Grafisches Centrum Cuno, Calbe
Printed in Germany / Imprimé en Allemagne